Agora é que são elas

Paulo Leminski

AGORA É QUE SÃO ELAS

Posfácio
Boris Schnaiderman

ILUMINURAS

Copyright ©
Alice Ruiz Scheronk, Aurea Alice Leminski e Estrela Ruiz Leminski

Copyright © desta edição
Editora Iluminuras Ltda.

Capa
Eder Cardoso / Iluminuras
sobre imagem da deusa Nut, encontrada em sarcófagos de faraós no Egito.

Revisão
Jane Pessoa

CIP-BRASIL. CATALOGAÇÃO-NA-FONTE
SINDICATO NACIONAL DOS EDITORES DE LIVROS, RJ

L571a

Leminski, Paulo, 1944-1989
   Agora é que são elas / Paulo Leminski ; posfácio Boris
Schnaiderman. - São Paulo : Iluminuras, 2011 – 4. Reimpressão, 2024.
  224p. : 23 cm

   ISBN 978-85-7321-359-1

   1. Romance brasileiro. I. Título.

  11-6910.   CDD: 869.91
                    CDU: 821.134.3(81)-3

ILUMI//URAS
desde 1987

Rua Salvador Corrêa, 119 | Aclimação | São Paulo/SP | Brasil
04109-070 | Telefone: 55 11 3031-6161
iluminuras@iluminuras.com.br
www.iluminuras.com.br

SUMÁRIO

Agora é que são elas, 9

Em torno de um romance enjeitado, 203
　Boris Schnaiderman

Sobre o autor, 217

AGORA É QUE SÃO ELAS

As duas músicas cantadas neste romance-fuga são *Watch What Happens*, de LeGrand e Gimbel, e *A House Is Not A Home*, de Bacharach e David. Devem ser imaginadas na voz de Ella Fitzgerald, tal como Ella as imortalizou em duas insuperáveis performances.

"As aparências enganam mas enfim aparecem, o que já
é alguma coisa comparado com outras que nem isso."

(*Catatau*, p. 62)

ao delito de deixar o dito pelo não dito

CAPÍTULO 1

1

Aos 18 anos, pensei ter atingido a sabedoria.

Era baixinha, tinha sardas e tirei-lhe o cabaço na primeira oportunidade.

Não ficou por isso.

A lei falou mais forte. E tive que me casar, prematuro como uma ejaculação precoce.

Nem tudo foram rosas, no princípio.

Nos pulsos ainda me ardem as cicatrizes de três malssucedidas tentativas de suicídio.

Mas eu não posso ver sangue. Sobretudo, quando meu.

Assim decidi continuar vivo.

Principalmente porque o mundo estava cheio delas.

De Marlenes. De Ivones. De Déboras. De Luísas. De Sônias. De Olgas. De Sandras. De Edites. De Kátias. De Rosas. De Evas. De Anas. De Mônicas. De Helenas. De Rutes. De Raquéis. De Albertos. De Carlos. De Júniors, De... (ihh, acho que acabo de cometer um ato falho). De Joanas. De Veras. De Normas.

2

De Norma, me lembro bem.

Como esquecer com quantas bocas se faz uma daquelas, aquela multidão de abismos em que ela consistia? Aquilo sim é que era uma buceta convicta. Cair ali era como, bem...

3

Com aquela cara de homem fingindo estar interessado no papo de uma mulher apenas porque está com vontade de comê-la, com aquela cara de mulher costurando e bordando pensamentos apenas porque está a fim de ser comida por ele, cheguei, caprichei, relaxei, lembrei tudo que tinha aprendido em Kant e Hegel, repassei toda a teoria dos quanta, a morfologia dos contos de magia de Propp, o voo do 14-bis, cheguei e não perdoei:

— Tem fogo?

4

O *tem fogo* saiu meio esquisito. Nem parecia que eu tinha estudado três anos de mecânica celeste, dois de escultura em metal e tinha sido, podem perguntar, um jogador pra lá de razoável na minha equipe.

Não, balido baldio, urro estrangulado, você parecia um *tem fogo* imbecil qualquer, um *tem fogo* dito por um corretor de qualquer uma dessas coisas que precisam de correção, a vida emocional dos cangurus, as problemáticas trajetórias de Urano, os particípios passados dos verbos da segunda conjugação.

Apesar de você, jamais vou esquecer, deus nenhum me deixe, o fatal é que cheguei e disse aquilo, aquele palavrão que significava a irremediável intromissão da minha vida na vida daquela figura, gesto cujas consequências os presentes vão poder, a seguir, apreciar em suas devidas dimensões.

5

Uma dessas confusões sorridentes onde as pessoas riem porque sabem que vão morrer no fim, e todo mundo disfarça a evidência de que tudo já está mortinho da silva, o vaso no centro da sala, a árvore estampada na cortina, e até os Stones na radiola já exalam aquele fedor típico de múmia de faraó da vigésima dinastia, uma festa dessas em que alguém te chega, cigarro ereto, e fulmina:

— Tem fogo?

Seriam Stones ou Ella, como lembrar, tantas bucetas depois, como evitar este ponto de interrogação?

6

— Tem fogo?

Isso lá é jeito de chegar numa dona, conversar com uma senhora, hein, seu isso e aquilo, que pensou ter atingido a sabedoria? Mulher tem que ser abordada com vinte e cinco canhões de bolhas de sabão, princesa e flor do oriente, rosa de incenso, filé-mignon da parte esquerda do meu cérebro, abre os braços, isto é, os pássaros, isto é, faça-se a luz, paradise me now...

7

— A juventude pode acabar com uma pessoa.
— Eu já vi essa religião. Deus morre durante a viagem.
— Jotaerre?, dos Jotaerres de Birmingham!, mal posso acreditar que estou aqui, eu devo estar sonhando.
— Vendo o apetite com que uma mulher chupa teu pau, nunca te ocorreu que pode não ser uma má ideia?
— A lei, meu caro, só proíbe certos crimes porque são ótimos negócios.
— Inteligência em homem é que nem pau duro, mulher alguma resiste.
— O crédito? É o câncer do mundo.
— Qual é a ilusão que você me recomenda?
— A inflação mundial, dinheiro produzindo dinheiro, sem passar pela produção, abstrações produzindo abstrações, sistemas puros, quero dizer, *sem relação alguma* com a realidade, porra, você me entende!
— Milhões, milhões, milhões, um começou a gritar, uma ideia é *a coisa mais cara que existe*.

E virando para todo mundo, todo mundo tinha cara, a começar por mim, de pânico, com aquelas luzes *quem* conseguia não ficar muito pálido, o pavor abaixo da pele, a bomba, a última guerra, o fim de.

A ideia mais cara que existe.

8

Entrei no salão principal, um fósforo aceso no interior da luz absoluta, adeus, matéria! A luz que sopra em cada partícula um vento em cada molécula que um vento sopra em cada instante em cada momento transformando tudo em luz, um halo só, a luz suprema de uma festa, qualquer festa, bem-vindo, brilho, os sentidos que vão morrer te saúdam!

A última coisa que vi, claro que foi, quem mais? Falava numa roda de amigas, aquele ligeiro tédio de quem diz, não, querida, isso é impossível, a marquesa saiu às cinco horas.

E lá vou eu, atraído pela lei da gravidade, até o óbvio, a matéria, a verdade, quem sabe. Ela irresistível como uma página de papel em branco. Quem sabe a sabedoria, quem sabe, alguma outra coisa.

— Norma! Chegou alguém gritando como se.

9

Então, eu soube. Ela se chamava Norma.
De normas, vocês sabem, o inferno está cheio.

CAPÍTULO 2

1

— Telefone para o senhor.

Olhei para o mordomo, entre atônito e incrédulo. Telefonema para mim? Aqui? Como?

O professor Propp, meu analista, me garantiu, ninguém me reconheceria nesta festa.

Segundo ele, nas histórias de magia e de mistério, o narrador está *sempre ausente*, nunca participando da festa, quero dizer, das ações.

Tentei explicar isso ao lacaio, que continuou impávido de pé, o telefone numa bandeja como uma lagosta, esperando, esperando, pergunta.

Levei a mão ao aparelho, apavorado com a ideia de que tinha uma voz ali dentro, vinda de algum lugar, e *tudo podia acontecer*.

O mordomo não mostrou sinais de vida quando minha mão parou em pleno ar e comecei a lhe explicar os meandros do pensamento do professor Propp, para sua ignorância plebeia, eram menos interessantes que um peido, podia ver isso em sua cara que consistia toda em uma superfície sem profundidade, um lago plácido com a fundura de uma folha de papel.

O mordomo insistiu. Era comigo mesmo.

Pensei, já quase suando. E se for "você sabe com quem está falando?"

E que tal seu coração diante de um "fuja enquanto é tempo, tudo foi descoberto"? Insuportável imaginar um "desculpe, foi engano".

De qualquer forma, é contra meus princípios demonstrar fraqueza diante da criadagem. Levei a mão ao aparelho, com a determinação de um coronel de hussardos de Napoleão levando a mão ao sabre, bradando "carga!".

O telefone, agora, eu colava aquele búzio na orelha, e ouvi do outro lado o marulhar da vida, aquele silêncio febril de um formigueiro na primavera. As cacofonias da festa se multiplicavam em minha volta, enquanto me chegavam partículas de palavras, destroços de frases, poeiras de som: (...) tesão, o maior tesão (...), ... me comer (...), meter de uma vez só (...), tudo aqui dentro (...) tudo, de uma vez (...).

Tirei o telefone do ouvido, as orelhas ardendo com aquela queimadura. E olhei para o mordomo. Tentei olhar, isto é. Nada na minha frente, tinha se dissolvido naqueles rios de cabeças gargalhantes, altos penteados, dentaduras escancaradas.

Eu estava sozinho com um telefone no colo e, dentro dele, uma voz que dizia o que só se diz, bem, vocês sabem.

Na mão esquerda, eu ainda segurava um cigarro por acender.

Cheguei devagar o telefone no ouvido e do outro lado ouvi... merda!, tem uma coisa sobre a qual eu não quero falar.

2

Levantei os olhos devagar para o carnaval de luzes em minha volta. Tudo parecia *idêntico*. As mesmas pessoas. As mesmas gargalhadas. Os gestos todos certos. *A certeza*.
Só que tinha *uma* coisa errada. TUDO tinha mudado.
Por segundos girei numa vertigem, sem saber o quê, em quê, por quê.
Ah, por quês?, como atingir a sabedoria sem vocês, porquês, por quês, porquês, diabólica máquina das causas e efeitos. O que tinha mudado? Nenhum POR QUÊ?, por favor. TUDO.

3

De repente, tudo ficou pálido como se tivesse medo. De repente, tudo ficou corado, como se tivesse vergonha. O ar ficou corado. E tudo empalideceu, como, como é que foi mesmo que eu não dei pela ausência de Norma, aquela coisa gostosa entre as mulheres, sorvete reinando sobre meu reino de prazer com um morango por coroa?

4

E como TUDO tinha mudado me dei ao direito de também. Meu rosto, de senhorial mudou para o desespero, de raivoso passou para o desânimo, em meu rosto, meu rosto mudou, rapidamente, flashes de slide projetados na cara de uma estátua por uma máquina desgovernada.

Me levantei, à procura de alguém conhecido, diante de mim, o desconhecido oeste selvagem, infestado de ursos e índios antropófagos, nenhum amigo, nenhuma amiga, pratos célebres, unhas feitas por joalheiros inacessíveis, vozes estrangeiras, sotaques dissonantes.

Levantar me fez bem. Circulei com segurança, sentindo meu rosto voltar à forma primitiva, a cara que eu fazia antes, bem antes de começar este romance, meu romance com Norma.

Respondi ao ligeiro cumprimento de um senhor parecido com meu tio, provavelmente me confundindo com algum sobrinho, me aproximei soberano.

— Os tempos estão mudando, comentei, certo de que o tempo é um assunto universal bastante para interessar a todas as pessoas e de que a mudança é uma experiência geral.

Ela não me respondeu. Seus olhos (opala? ágata?) me atravessavam, como se eu fosse uma vidraça entre ela e o Mediterrâneo.

Vamos mudar. Mas vai mudar assim na puta que o pariu.

Me afastei com raiva em direção a um sofá que jazia num canto, um hipopótamo verde-musgo e dourado, debaixo do grande relógio, que eu já sabia tinha pertencido ao tetravô do dono da casa e da festa.

Do dono da casa e da festa, já tinha ouvido falar muito. Sabia que era senhor de muitos recursos, e tinha se dedicado à caridade, desde a morte da mãe, abastecendo com festas o tédio de gente como eu.

Olhei para o relógio. Meia-noite e quinze, os ponteiros escreviam um L. Sentei e olhei em frente.

Só existia uma verdade absoluta. TUDO tinha mudado.

5

Para melhor, para pior, pouco importa, essas palavras, bem e mal, já não faziam diferença, não tinham mais nada a fazer naquele jogo, entende? Eu vivia *uma circunstância absoluta*, podia sentir os sintomas. Bem que meu analista tinha me prevenido. Mas eu lá tenho cara de quem vai atrás do papo de um judeuzinho da Europa Central, óculos na ponta do nariz, a cabeça cheia de teorias e esquemas, caverna atravessada de teias de aranha, por onde voam vocês, morcegos milenares? A gente arrasta o rabo do dia a dia, os dias na esperança de um só dia, um momento máximo, o campeonato nacional, a decisão, a final. Esta *era a final*. Daqui para diante, só as florestas, os desertos, os pantanais e os céus da sabedoria.

Mas foi triste que varei a sala, me debatendo entre as ondas de com licença e desculpe, perdão e tenha a bondade, até a mesa do ponche.

Jamais vou poder dizer se a tristeza, que me encheu como o vinho enche um copo, vinha da ausência de Norma ou de constatar amargurado, e me resignar com a evidência gritante de que aquilo fosse o que era, a queda do império, a passagem do cometa Halley, o primeiro lugar na lista dos sucessos, uma bobagem dessas qualquer.

Já era ciúme o que eu sentia com a desaparição de Norma? E o que fazer com a lição do professor Propp, *isso não existe*? Medo. Medo, sim. Quando senti medo, quase pude tocar com as mãos suas imensas distâncias, abismos intransponíveis, silêncios insuportáveis, tudo aquilo que a gente sente diante do tigre, tudo aquilo que sobe e desce na espinha quando você pergunta:

— É grave, doutor?

O doutor Wiesengrund achava que quem sabe. E acreditava sinceramente que isso tudo tinha cura. Era da velha escola. Um pouco de ar puro, farta alimentação, muita abstinência de lipídios, e uma buceta de vez em quando. Para as senhoras, caralhos, evidentemente. Um pinheirinho de Natal, coruscante de esmeraldas e rubis, ao seu lado, a senhora Wiesengrund fazia que sim com a cabeça, a cada palavra que o eminente pentelho regurgitava.

A cada minuto que passava, mais aumentava meu medo, e eu ficava cada vez mais feliz de poder gritar "terra à vista", diante daquele rato que me roía as entranhas, polo ártico na boca do estômago, meu velho e querido amigo, enfim, um amigo, meu verdadeiro amigo, o pavor.

A gente se conhecia desde a infância, o medo cresceu comigo. Quando eu era garoto, meu medo principal era que a casa do meu pai desabasse. Mas era apenas o centro do terror. Deste centro se irradiavam miríades de medos, aquelas coisas que, com uma picada de frio na minha barriga, me enchiam a vida de vibração e significado, os mínimos medos que cintilavam em volta, e se estendiam até os inumeráveis horizontes do desconhecido. De repente, fiquei *apavorado*. A partir desse momento, não senti mais NADA. Estava na companhia de algo maior, muito maior, infinitamente maior que qualquer medo. *TUDO* tinha mudado.

CAPÍTULO 3

1

Aqui, ainda dá pra ver o cigarro por acender em minha mão esquerda. Sou aquele mais magrinho ali no fundo da poltrona verde-musgo, com cara de hipopótamo abatido. Ao meu lado, o telefone nas mãos do mordomo (naquele tempo, a gente chamava garçons de mordomos: moravam em casa, nunca faziam cara feia e descendiam sempre de uma tradicional família de mordomos).

Da esquerda para a direita, inúmeros nomes ilustres.

Sentado no meio, o fotógrafo dirige a cena, sem se dar conta que a máquina estava fotografando sozinha.

Atrás, na parede, o relógio marca meia-noite e quinze.

Na foto, não saíram: o notável clitóris da Condessa Vronsky, as marcas de varíola do Coronel Hermógenes, boa parte das terras do Conglomerado União, representado no evento por seu vice-presidente, e o sorriso da cabeça de javali sobre a lareira está um pouco forçado, não passando, como se percebe, de uma reles contrafação do sorriso usado por Gary Cooper naquele filme de Howard Hawks, como é mesmo o nome, meu Deus, como a memória é solúvel em álcool!

E Norma? Cadê Norma? Sua ausência grita nesta foto como o mais agudo ahhhhhhhhhhhhhhhhhhhhhhhhh que olhos humanos já ouviram.

A foto também não registra o cheiro de queimado que senti, desde o começo, mas, bem... Tem uma coisa sobre a qual eu *não* quero falar.

2

TUDO TINHA MUDADO. E uma angústia deste tamanho começou a tomar conta.

Um desassossego, que botou no chão, diante de mim, o ovo de uma pergunta: que é que esta festa está comemorando?

Quando me disseram para vir, só disseram, uma festa. E eu vim sem saber *o que se celebra*.

A ideia de uma festa sem objeto, uma festa que *não comemora nada*, me pareceu tão absurda quanto, sei lá, quanto a súbita visão de uma coisa em si. Ora, conforme o professor Propp, meu analista, as coisas em si só existem na imaginação. Ora, ora, não era o caso desta festa, coisa que todo mundo vai poder comprovar a seguir.

Casamento, não era. Faltava no ar aquele clima venéreo, venusiano, dos casamentos, onde todo mundo ficava olhando para os noivos, viajando nas sacanagens que eles logo vão estar praticando, todo mundo vê nas bochechas vermelhas da noiva o fogo da expectativa de dali a pouco estar levando um apaixonado caralho na buceta, no nervosismo do noivo, aquela pergunta clássica: por que é que esse bando de chatos não dá o fora logo pra eu poder comer esta mulher em paz?

Não, não havia esse clima. Olhei para o alto, e girei o olhar. Não havia cupidos voando em volta da mesa.

Busquei outros sinais, sinais de qualquer um desses acontecimentos que vão da vida até a morte, batizados, bar mitzvah, noivados, bodas de prata, colação de grau, exéquias, velórios, guardamentos.

Nenhum sinal. Perguntei ao vestido das mulheres, a seus penteados renascentistas, e nada.

Não é do meu feitio suportar muito tempo coisas que eu não entendo. Esses lustres, esses candelabros, essa luz toda não me merecem. Minha integridade exigia uma medida enérgica, minha honra tinha que ser lavada em distância.

Levantei da poltrona verde-musgo e dourado.

Deixei para trás o gratuito cacarejar das damas presentes, e me encaminhei para a porta.

Saí da casa, e entrei no vento, caminhando em direção ao carro.

Tive que manobrar muito para me desvencilhar de todas aquelas máquinas caríssimas como seus donos e donas.

Lancei um olhar, não sei se de desprezo ou de despeito, para aquele imenso casarão iluminado no meio do mato, onde rolava uma festa que não me queria.

Peguei a estrada, e tomei a direção da cidade.

Quando consegui estabilizar minhas emoções e atingi aquele estado meio neutro, meio mecânico, que os carros exigem dos seus motoristas, algo entre o sono e a extrema vigília, nesse momento, a tempestade caiu. E veio com tudo.

Tive que parar à margem da estrada, esperando passar. Passar a chuva. Passar o tempo. Passar a maldita vontade de voltar.

Apanhei um cigarro. Mas cadê o isqueiro? Tinha certeza de ter deixado aqui a caixa de fósforos de papel daquele hotel.

Nada. Eu estava sem fogo. E tive que me resignar.

Foi principalmente esta falta de fogo que me fez lembrar Norma.

E só então me dei conta que não conseguia lembrar das feições do seu rosto, nem da cor dos cabelos. Nem saberia dizer se era jovem ou madura.

Dos outros convivas eu lembrava com nitidez, a memória, dizia o professor Propp, é a minha grande virtude, e, por isso, a fonte de todos os meus males.

Propp sempre me diz:

— Esquece, esquece mais. Esquecer faz bem.

Eu prometo me lembrar disso. E ele diz:

— Está vendo? Já está lembrando de novo.

Contra o bloco nítido daqueles convivas todos, dos quais eu lembrava cada detalhe, a figura de Norma se destacava como uma massa de amnésia. Devia estar muito distraído quando fiquei vidrado nela.

Não sabia quem era, mulher de quem, comida de quem, quem pagava seus luxos, a que casas, a que fortunas estava ligado seu destino.

Que será que fazia? Exercia a caridade? Atacava os viandantes à noite? Desenhava modas? Tocava a 7ª Sonata de Chopin no piano? Cavalgava aos domingos? Assistia filmes proibidos em seções privadas? Batia no marido? Açoitava os criados? Colecionava amantes? Frequentava igrejas, capelas, terreiros?

Todas essas perguntas empalideciam diante de uma: volto ou não volto? Dei meia-volta, e voltei para casa.

3

Faltava um quilômetro para chegar na casa, quando senti um problema no carro. Parei. Conferi tudo, nada. O sacolejo que eu tinha sentido era meu próprio coração batendo do lado de dentro, louco para sair.

Lembrei (maldita memória!) que Propp tinha um conselho para ocasiões em que o herói se encontra numa situação como esta. Mas não consegui lembrar do conselho, maldito Propp, *o tratamento estava começando a fazer efeito*.

Engoli, mandando meu coração voltar para as profundezas donde tinha emergido, que lugar de coração é lá embaixo.

Fiz a curva para entrar no caminho que levava até a porta da frente da casa.

Não gostei do que vislumbrei. A casa, completamente às escuras. Um pedaço de treva mais escura contra a treva ligeiramente mais azul, depois da passagem de um dos relâmpagos tardios da tempestade que se afastava.

— A tempestade apagou a luz, pensei.

Mas cadê aquela multidão de carros estacionados em frente?

Apagou a luz e todo mundo fugiu para suas casas, me reconfortei. Ainda bem que o professor Propp sempre me alertou, a lógica não passa de uma média estatística, uma probabilidade: *não era provável* que eu estivesse nesta festa, que passasse por Norma e quase não a visse, que recebesse aquele telefonema, e saísse, e chovesse, e não tivesse fósforos, e eu voltasse, não era provável que eu saísse do carro, fosse até a porta e batesse.

Bati uma vez. Esperei. Na orelha esquerda, nada. Na direita, nada.

Mas será possível que não sobrou ninguém? *Alguém* deve ter ficado.

Bati de novo. A chuva voltou a cair imediatamente, como se quisesse levar aquela casa a nocaute no segundo round, meu coração batia, punch, jab, cross, direto.

Bati de novo. E de novo. Até que ouvi aquela voz maravilhosa de um trinco se abrindo numa porta que você quer abrir.

O velho criado pôs a cabeça na fresta da porta entreaberta.

— Está perdido, cavalheiro?

— Não lembra de mim? Acabo de sair daqui.

— Perdão, senhor?

— Eu acabo de sair da festa. Mas voltei.

— Que festa?

— A festa que estava havendo aí quando eu saí.

— Mas, senhor, a festa vai ser *amanhã à noite*.

Nessa hora, um relâmpago estralou como um ovo que cai na frigideira. Fiquei ali, anulado, esperando o trovão passar e ir fazer barulho lá na puta que o pariu.

O criado me trouxe de volta à vida:

— Mas se o senhor quiser, está chovendo tanto, as estradas estão perigosas, se o senhor quiser passar a noite aqui, tenho certeza que meu patrão terá o maior prazer em hospedá-lo, senhor?

Disse meu nome e entrei, tirando o casaco molhado.

A casa estava completamente às escuras.

— Deixe-me acender alguma luz, o criado ouviu meus pensamentos.

Fiquei ali, no escuro, aquela vergonha de perguntar o óbvio.

Uma luz se fez. Outra. Velas acendiam velas. Candelabros arreganhavam as dentaduras pela sala. Nada. Nenhum sinal de festa, havida ou por haver.

Segurei.

— Muita gente na festa amanhã?, perguntei.

— Ah, senhor, *isso* ninguém pode dizer.

Enquanto o criado acendia luzes e mais luzes, dei um passeio pela sala. Estava tudo lá, a poltrona-hipopótamo, a cabeça de javali na parede, a mesa, o piano. Me aproximei. Sobre o piano, as fotos de gente cujas caras não me diziam nada.

E, de repente, AQUILO!

Pensei que já tinha visto tudo, mas *aquilo* tinha passado dos limites.

Era um escândalo, um insulto à realidade, à santíssima lógica das coisas, e eu explodi:

— Mas o que é isso?, gritei, agarrando a foto com uma mão e com a outra o pescoço do criado.

— Isso o quê?, meu senhor?

— Esta foto.

— É apenas a foto de uma festa.

— Quando foi essa festa?

— Não sei, meu senhor.

Larguei o criado, que se afastou alisando o pescoço.

Olhei bem para a foto, à luz de todos os candelabros.

Não havia a menor dúvida. *Era* a foto que tinha sido tirada na festa, da qual eu tinha acabado de sair e, agora, não existia mais.

— Quer comer alguma coisa antes de subir a seus aposentos, senhor?

Nem ouvi a pergunta. Fiquei ali, estarrecido diante daquela foto.

Só que olhei um pouco mais atentamente. E descobri. *Norma*. Norma está nesta foto. *E eu não estou.*

A vertigem subiu pelas minhas pernas como uma câimbra.

Eu estava certo. Não podia mais haver engano. A verdade me atingiu no meio da testa. TUDO TINHA MUDADO.

4

Quanto tempo dormi na cama onde o criado praticamente me jogou, depois do meu choque com a foto, depois que minha consciência colidiu com aquela imagem, como um avião se choca contra uma montanha?

Voltei a mim dentro da noite total. O quarto, treva pura. Mais treva não seria, se eu tivesse ficado cego.

E daí comecei a ouvir aquele som, uma coisa doce vinda de algum lugar e de toda parte ao mesmo tempo, uma voz, sim, *era uma voz,* uma voz de mulher, em algum lugar no espaço e no tempo, uma mulher cantava, e coisas além do meu entendimento queriam que eu estivesse ali, escutando, como se ouvir aquela voz pudesse ser a razão de ser de toda uma vida, aquela voz doce que parecia iluminar a meia-noite com todas as vias lácteas de que o céu é capaz.

CAPÍTULO 4

1

Um dia, ainda vai ser conhecida a *verdadeira* natureza das minhas relações com o professor Propp. Até hoje não sei como tantas intrigas puderam se tecer em torno de alguém com uma biografia tão exata quanto ele, figura dedicada, de corpo e alma, à ciência, para ele, a rabínico-cossaco-prussiana disciplina do pensamento e da vida se organizando em esquemas.

Propp escrevia seco, mas muito bem. Seu principal romance, porém, que merda!, ainda não saiu à luz. Esse escafandrista das profundezas humanas, discípulo direto de Freud, que discutiu, como ele invoca, com Reich, Férenczi e Jung, ele deixou uma história que, se ainda houver um resquício de luz e amor na humanidade, um dia, vai ser publicada.

É a *Morfologia do Conto Maravilhoso*, admito, um nome um pouco abstrato para uma obra de ficção.

O singular no caso foi o *uso* que ele fez desse seu romance no tratamento de gente como eu, como nós, nós, que frequentamos a caverna de Propp, e perguntamos:

— Tem jeito?
E ele diz:
— Diga A.
E nós todos dizemos, ah, hoje não vai dar.

Com o perdão das senhoras presentes, me estendo um pouco mais sobre esse romance que viria a ter um papel tão, tão, tão, como direi?, em minha vida, por puro medo de que essa história nunca venha a ser publicada, privando a espécie de uma de suas obras mais, mais e mais, daquelas que dá pra segurar na mão e brandir para as estrelas dizendo: *vocês não perdem por esperar*.

Nada poderia ser mais estranho para o leitor habitual de fábulas, ávido por emoções fáceis, detalhes picantes ou registros agudos do cotidiano, arquiteturas redondas e enredos envolventes.

Não Propp.

Seu romance é *abstrato*. Quer dizer, um romance feito de todos os romances, seus personagens *são todos os personagens possíveis*.

Como *isso* foi possível, só o gênio do professor explica, e o gênio é inexplicável, como nós todos, seres gasosos dos pantanais de Canópus, sabemos.

O fato é que descobriu que todas as histórias, no fundo, constituem UMA SÓ HISTÓRIA. E aplicou-se a descobrir a cadeia de constantes, a lei lógica e matemática que rege a geração dos enredos, o vertiginoso movimento das constelações que constituem *uma intriga*.

Todo entrecho, para ele, reduz-se à combinação de algumas funções básicas (trinta e uma, se não me engano: um dia, perguntei por que um número tão quebrado, por que não trinta ou quarenta, e ele me respondeu com uma frase latina, saiam da frente, Virgílios e Cíceros, algo assim como "nummerus impar deis placet", *aos deuses agradam os números ímpares*, e rematou dizendo que, por mais que a gente tentasse reduzir a realidade e a vida aos números pares, elas sempre seriam ímpares, os pares não passando de uma mera fantasia humana, o médico e o monstro, o casal perfeito, Sansão e Dalila).

Em nosso último encontro, fantasiava uma psicanálise do ímpar.

— Ménage à trois, professor?

Claro, o romance de Propp não era, apenas, mais uma dessas obras destinadas, *apenas*, a proporcionar prazer a um leitor eventual.

Propp não. Ele era médico. Queria *curar*. Quer dizer, dizer NÃO ao real, que *quer* a doença. Não à inexorável lógica última e suprema de todas as coisas e de todos os processos, aquela coisa que quer que a pedra caia quando jogada pra cima, o que quer que seja que quer que as flores nasçam na primavera e no inverno a gente tenha que usar cinco (ímpar!) roupas sobre o peito.

De Propp, fica esta ideia, tenho certeza. A saúde através daquilo que ele chamava Funções dos Personagens, e suas cambiáveis, mas previsíveis combinações.

Não ficava perguntando se você já tinha alguma vez tido a vontade de chupar a buceta de sua mãe para voltar ao útero, e, mamando, acabar com tudo isso, de uma vez por todas. Ou se você tinha fantasiado ver o saco do seu pai servido num prato ao molho pardo.

Grande diretor de cena, em um minuto, você já estava passando da Função 1 para a 4, da 3 para a 7, da 6 voltando à 2, uma máscara atrás de outra máscara atrás de.

Cada uma das Funções, até 31, tinha um nome e uma definição precisas (uns dois anos para decorá-las todas, no rigor da sua ordem: enquanto isso, quem vai ter tempo para ter problemas psíquicos).?)

O sucesso obedecia ao seguinte esquema, este é o esquema do fracasso do herói. A felicidade, lembro, seguia o esquema, personagem sai de casa, enfrenta os perigos do mundo, personagem volta pra casa.

Nesse meio-tempo, eu, você, Hércules, Ulisses, Kennedy, Alice, Fausto, Adão, Guilherme Tell, Robin Hood, Frankenstein, o herói, enfim, passava, a gente passava por certas peripécias básicas, sempre as mesmas, *só mudava a ordem*.

Era confortador. E era apavorante. Gostoso saber que você pertencia a uma lógica maior que você, um fundo contra o qual tua figura se projetava. Mas eu me cagava de medo de saber que viver, então, era *só isso*, e assim, e não de outra forma.

Preparava, pouco antes do seu trágico desaparecimento, uma retórica do desejo, que o tempo não permitiu acabar. Da "Retórica do Desejo", guardo ainda algumas notas, pepitas de ouro recolhidas nas enxurradas da vida.

2

Acreditem ou não, era nele e seus esquemas que eu pensava, deitado lá dentro daquele quarto escuro, ouvindo aquela voz, aquela voz única, no fundo, a única que eu ouvia desde que tinha chegado naquela festa, festa, aliás, que *não houve*, ou não tinha havido, ou, enfim, tinha caído num número ímpar qualquer, como o professor Propp tinha previsto. Ou qualquer coisa assim.

CAPÍTULO 5

1

Nem precisa dizer que levantei da cama, vestido como estava, e tateei em volta. Enfiei a mão no bolso à procura de fósforos. Andei até a parede, bati, e comecei a apalpar, procurando a luz, vivendo naquela voz, como se vive dentro de uma vida, por quanto tempo não consigo determinar nem com precisão aproximada: no escuro e no silêncio, tempo é coisa muito relativa.

Quando consegui sair do quarto, desci uma escada e desaguei no grande salão, o salão da festa passada, *a que não houve*, o salão da festa que vai haver, e, que, provavelmente, quem sabe.

A voz enchia o ambiente como um dia.

2

De repente, a voz parou, e eu me achei ali, acho, de pé, sozinho, no meio do salão, algo assim, assim como se, digamos, um rio que eu navegasse secasse de chofre, e a gente lá remando que nem um idiota no meio do deserto.

Uma fúria desgraçada tomou conta. E comecei a esmurrar as paredes, gritando: mais, mais!

— Chamou, senhor?

O criado entrou estúpido na sala, fechando o roupão como uma banana que tentasse fechar sua casca depois de descascada.

— A voz! Cadê a voz?

— Voz, senhor?

— Porra, a voz que estava cantando até agora mesmo!

— Não ouvi voz nenhuma, senhor. Aliás, nem seria possível. Nesta casa, só estamos o senhor e eu.

Vertiginei.

A ideia de uma voz sem dono, passeando, enchendo a casa, não estava nos meus planos.

Insisti:

— Tem certeza?

— Absoluta, senhor.

Ainda bem que ainda tinha gente com certezas absolutas.

Eu já não tinha mais nenhuma. Ou *quase nenhuma*, o que é ainda pior.

Dispensei o criado, com um olhar que agiu com o efeito de um golpe de judô, e voltei à minha perplexidade.

Mal o serviçal se retirou, comecei a procurar uma porta secreta.

Se bem me lembro, em alguns filmes, a chave secreta ficava por aqui, quem sabe, aqui, ora, como é que não pensei nisso? Aqui! Não, não era aqui. Se não era aqui, onde?

A voz que ouvi vinha *de baixo*. Para baixo, portanto, era para onde eu devia ir. Nessa hora, ouvi a voz do professor Propp:

— Em caso de dúvida, vai abrindo portas.

E portas eu fui abrindo. Uma dava para uma escada que descia. Adivinhe se eu desci.

3

Norma cantava.

E então vi Norma. Vi no sentido mais pleno de ver. Ver como quem nasce, como quem goza e morre.

Lá estava ela, nua como um susto, deitada naquela cama, cercada pelos três paus duros. Repousava entre as pernas do mais moreno, cabeça inclinada sobre seu caralho, a cabeçorra roxa despontando entre seus cabelos. Um outro, parecia ser o mais moço, beijava sua bunda. E o mais avantajado olhava a cena, acariciando o pau de leve, como quem mantém calma uma pomba para que não voe.

Congelei.

— Sabia que você vinha, ela disse.

Nunca tinha ouvido sua voz (ou tinha?). Mas sabia que *era a voz* que cantava ainda há pouco. E não havia dúvida, era a voz que eu tinha ouvido naquele telefonema durante a festa.

Foi um momento, e ela me chamou com um aceno de dedo.

Tirei a roupa, entrei no rolo e fui fundo.

4

No escuro e no silêncio, tempo é coisa muito relativa.

Voltei a mim um pouco antes de amanhecer, aquela hora que, dizem, é a mais escura da noite.

Tinha dormido com roupa e tudo, o criado só tinha me jogado uma coberta por cima, e senti as barras da calça ainda molhadas pela tempestade que atravessei para voltar até aqui.

CAPÍTULO 6

1

— Inclusive o monstro do Lago Ness.
— Ness?
Pior: tudo pode acontecer *dentro do mesmo parágrafo*, reclamava me sacudindo pelo colarinho, como se *eu*, logo *eu*!, pudesse fazer alguma coisa e impedir aquela história monstruosa de existir, avançar, recuar, rodopiar, corromper.
Um dia, tinha que ser, a pergunta saiu naturalmente:
— Que tal aplicar o esquema de funções a essa coisa? Talvez tenha cura. Deus é grande, professor.
Uma semana me olhando a zero graus centígrados.

2

— Quais vão ser os convidados?, fiquei pensando na cama, antes de levantar, o cigarro apagado numa mão.
Imaginei uma festa que *eu mesmo* desse, uma festa, por exemplo, para comemorar o meu fim, digamos. Diria a cada amigo, colega ou conhecido:

— Olha, amanhã vou me matar, e gostaria antes de celebrar com alguns amigos. Só o pessoal mais chegado. Uns trezentos, trezentos e cinquenta.

3

Façam as listas, senhores, faites vos jeux, faites vos jeux, quem *você* convidaria? Deste lado, os entes imaginários mais queridos, mamãe, papai, o professor Propp, tia Verônica, a doutora Margaret, a namorada do Marcelo, as irmãs Consuelo, o filho do seu Djalma, o Eusébio e a Sheila e toda a família do Mário. Isso sem falar nos Tavares de Lima, nos Cabral de Mello, nos Cavalcanti Proença, os da Silva Ramos, os Pereira Carneiro, os Leitão da Cunha, os Loyola Brandão, isso sem falar naqueles outros lá, que estão olhando, com uma cara pedincha, esperando entrar na lista a qualquer momento.

Deste lado, as pessoas de carne e osso: King-Kong, Bruce Lee, Greta Garbo, O Homem Que Ri, O Velho E O Mar, Jesse James, Erik Leif o Vermelho, Madame Bovary, Hugh Selwyn Mauberley, Moby Dick, El Cid, Kublai Kã, Corisco, Rett Butler, Gregory Peck, Rrose Sélavy, a hipótese, Drácula, a medusa, D. Sebastião, o quadrado da hipotenusa, a felicidade universal, things like that. Todo mundo, *menos Nostradamus*, por favor.

E quanto a você? Que tal, convidaria a si mesmo?

Sem você, não vai ter a menor graça. E, não tem dúvida, vai ser uma festa e tanto.

4

Prezado Herr Doktor Professor,
eu só queria saber
por que nessa história
todo mundo tem nome, menos eu

                                      atenciosamente,
                                         menos eu.

CAPÍTULO 7

1

Ainda tinha meio-dia e mais sessenta minutos pra fazer de conta que vivia um pouco, antes de *tudo* começar.

O estupor luminoso que, dizem os seres gasosos dos pantanais de Canópus, explode nos epiléticos treze horas antes de um ataque, o abismo lá no fundo, na boca do estômago, 31 graus abaixo de zero.

Até esqueci, na excitação, não sei bem se no aeroporto ou na rodoviária, o incidente besta da noite anterior, quando, ridículo, cheguei a pensar que a festa *já tinha começado*, quando, bem, todo mundo sabe como é que são essas coisas.

Era natural. Natural que tivesse esquecido tudo, o esboço de festa, minha saída, a tempestade, minha volta, a voz absoluta.

Perfeitamente natural que eu tivesse esquecido Norma. Norma? Alguém se lembra?

2

Conheci uma Norma antigamente, mas não era esta, essa Norma dos meus contos dos bosques de Viena. Chamava-se Norma Propp, filha do meu analista. Como aconteceu, nem perguntar. Foi rápido, muito rápido, rápido como um rosto fica pálido.

Não era grande coisa. Mas nos vimos coisas um no outro, e a besteira estava formada. A gente se foi a primeira vez numa porção de coisas. Sei lá que importância isso tem, mas as pessoas tendem a atribuir virtudes mágicas às primeiras vezes. Seja lá do que for. E assim primeiras vezes fomos, Norma e eu, muitas primeiras vezes.

3

Nunca te ocorreu não merecer tudo aquilo que você tem, ou tudo aquilo que você *tem* que suportar? Então, não conhece o melhor da vida. Norma Propp não era assim, exatamente. Não que fosse nenhuma maravilha. Ao contrário. Era sólida, algo assim como mulher dos signos de Leão, Touro ou Escorpião, uma coisa sem mistério, escorregadia como os esquemas do pai.

Dele, herdou algumas coisas. A precisão com que atingia teu olho na primeira porrada. O absoluto desprezo pela opinião alheia. A mania de coçar a orelha quando pensava. Da mãe, veio tudo mais. A simplicidade camponesa. A virada imprevisível. A certeza de estar *sempre* com a razão.

CAPÍTULO 8

1

Vejam bem, quando digo *sabedoria*, não estou querendo dizer saber *como as coisas funcionam*. Isso é fácil. Um pouco de não sei quem, um pouco de como é mesmo o nome, e a leitura diária dos jornais, e uma cabeça de segunda imagina que sabe *o que está aí*. Mas o que se passa, *mesmo*?

Quem sabe, ficar pasmos seja nosso papel, e isso é tudo.

TUDO que ele sabia fazer por mim era me transformar num número de um de seus contos de magia e maravilha, ora herói, às vezes vilão, pivô da história num bangue-bangue bem vagabundo, desses que a gente já adivinha tudo desde a largada, desde o primeiro tiro, desde o massacre da família do pistoleiro por uma quadrilha de mexicanos, até o duelo final entre o deserto e os sobreviventes.

O caso com Norma Propp começou eu me queixando dessas técnicas do pai.

Como não percebi logo que encontrá-la era (eu não sabia) a variante B da função 9, "herói se apaixona pela filha do pai"?

Contei isso, ela riu, riu, mas riu tanto que seus peitos nus balançavam como maçãs numa macieira chicoteada por uma tempestade.

2

Uma chance em um milhão que eu viesse a me apaixonar por Norma Propp.

O que eu queria da vida não era vida pra ela.

Nem sei, aliás, se cheguei a *estar apaixonado por Norma Propp*. Afinal, o que é que significa isso? Quem não sabe, no fundo, amor é invenção do coração da mulher, que ela tenta vender para o primeiro que aparecer e o seguinte, e o seguinte, e o seguinte, e assim por diante até aquela cena de sangue num bar da Avenida São João, que só vem para provar, de uma vez por todas, que alguém e ninguém não são iguais, e dali saem para lamber o sangue de suas patas, meditando a próxima vingança. No fundo, toda diferença é insuportável. O ímpar do professor Propp, a gente quer tudo par.

Norma era qualquer coisa assim como uma espécie de enfermeira e secretária do pai. Um dia, num encontro mais violento, no fim do terceiro round, Propp exigiu que eu lhe contasse uma coisa que eu não digo *nem pra mim mesmo*. Achei um atrevimento, uma absurda invasão dos meus espaços interiores, mesmo vinda da parte de quem vinha, ou por isso mesmo:

— Tem uma coisa sobre a qual *eu não quero* falar, eu insisti.

Propp insistiu. Eu perseverei. Ele reiterou. Eu recalcitrei. Ele fez questão, eu também, e, no calor da luta, comecei a sentir vertigens, calafrios, enjoos, câimbras e ânsias de vômito.

Propp chamou a filha, ela me levou até o banheiro, onde eu despejei no vaso três funções, quatro traumas, e só não saiu aquele dilema porque, bem, por quê?

— Te amo, ela disse, enquanto segurava minha cabeça dentro da privada.

Virei a cabeça, olhei para ela e sabia que estava perdido.

CAPÍTULO 9

1

A primeira vez com Norma, ela tomou a iniciativa já de cara, já veio de boca no filé-mignon.

Não era *exatamente* a ideia que eu fazia do verdadeiro amor.

Ainda bem que mais apetite voltou logo, ela abriu as pernas para mim, me segurou pelos cabelos, e me trouxe boquiaberto até sua fenda que sorria, vertical. Pulou na minha língua como só pula cavalo de raça à primeira chicotada.

Agora, eu queria mais. Muito mais. Mais fundo. Abracei-a, e montei. Ela me empurrou, e eu caí de costas aos pés da cama, o pau duro, apontando para o teto.

— Pensei que você *tinha entendido*, ela gritou.

Só então comecei a entender. Não era ainda a sabedoria. Mas já era alguma coisa.

Enquanto ela se vestia, insultada e fula da vida pela violência do meu ataque, bolei mais uma categoria de Propp, o único jeito que achei para evitar o assassinato de Norma Propp.

2

Outras vezes, enquanto a gente rolava entre os lençóis, grudados de porra, molhados de todos os líquidos que se trocam na cama, ela me falava, meu pau duro badalando entre suas coxas brancas, louco pra mergulhar de volta aos oceanos primordiais, antes da dor, da angústia e da consciência, mesmo ali me falava de quanto *aquilo* era importante para ela. Não que quisesse com isso se valorizar para alguém futuro. Já tinha recusado várias propostas, uma, inclusive, milionária. Só que lhe repugnava a ideia de alguém *furá-la*, dilacerar parte do seu corpo, com um órgão que funcionava como uma arma, a arma primeira e protótipo de todas, a *Ur-Waffe*, dizia seu pai, e será por isso que vocês são tão violentos, por que têm essa coisa dura no meio das pernas, e nós já temos essa ferida pronta para receber o golpe, por que é que as coisas tinham que ser tão sangrentas? Dizia, quase chorando, e já caindo de boca, engolindo tudo, duro ou mole, como se voltasse para uma pátria muito querida e muito distante.

3

Tinha vez que eu saía diretamente das esbórnias com Norma para as teorias e esquemas do seu pai. E era muito estranho. Pai e filha tinham os mesmos olhos, azuis, agudos, lúcidos. Olhos *de quem sabia*.

Só que Propp não sabia de nada entre eu e ela. Pensava que nossas relações eram as normais relações sujeito-objeto, entre enfermeira-paciente.

E eu entrava em seus jogos de herói-sai-de-casa, herói-
-enfrenta-perigo, com o cheiro da buceta da sua filha em
meus bigodes.

Numa dessas vezes, entendi que eu não era louco. *Tudo
era muito louco*.

4

De noite, ia até o observatório cumprir o tempo que
me faltava para concluir o curso, aquele absurdo que minha
família abominava.

— Só o que faltava. Filho meu passar a noite inteira
olhando estrela. Vai morrer de fome, e eu vou ter que pagar
o enterro!

Meu pai não tinha muita paciência com elas. Pior para
o velho. As estrelas iam durar mais que ele.

Padecia de um dos males mais comuns da sua turma:
ver o filho médico, advogado, engenheiro, um filho cheio
de dinheiro. E lá estava eu que não sabia nem para que o
dinheiro servia. Nem imaginava que ele trabalha sozinho,
que pode fazer milagres sozinho, crescendo, num banco,
como os pães e peixes que Jesus multiplicava.

Pois até no Observatório Norma ia me visitar. Me provocar com suas coxas grossas em vestidos curtos. Me
trazer de volta das vastidões azuis do espaço para o ouro e
o chocolate e o leite da pele humana, depois de exposta ao
sol.

Claro. Eu sempre saía. A gente tropeçava de motel em
motel, até achar um lugar vago para se rolar, se chupar e se
mascar.

Quase cheguei a pensar que amor era apenas aquilo. Uma coisa lésbica, linguística, deglutiva.
Um dia, depois de três horas daquilo tudo, arrisquei:
— Tem certeza que não está faltando nada?
Ela hesitou. E quando entendeu:
— Não, não está faltando nada.

5

Resolvi tirar todas aquelas lembranças da cabeça, tinha que preparar o espírito para a festa. Ainda bem que estava com o sono atrasado. Comi, e voltei para a cama.
Fechei as cortinas, fingi que era noite, e dormi até bem mais tarde.
Bem mais tarde do que eu pretendia, confesso.

CAPÍTULO 10

1

Acordei com uma explosão. Mais uma. E mais outra. A casa toda tremia com silvos e explosões. De duas, uma: ou a hora final tinha soado. Ou a festa ia começar. *Ou as duas coisas ao mesmo tempo.* Ou se tratava de uma terceira alternativa?

Fui até a janela, e o céu estava em chamas. Rodas de fogo espirravam lágrimas de todas as cores, para todos os lados, uma chuva de brasas, as estrelas tinham enlouquecido.

Então lembrei vagamente de uma frase na festa sobre como tinham estado lindos os fogos de artifício.

Eu estava assistindo ao começo da festa.

2

Uma vez, fui com Norma passar uns dias numa casa de campo que o professor Propp tinha, aquela que teve que vender para pagar as aulas de violoncelo, instrumento que era a loucura do velho.

A gente ficou, Norma e eu, deitados na grama, de mãos dadas, a cara dando direto para o céu pinicando de estrelas, aquela luz tão aguda que doía nos olhos. E começamos a chorar, sem nem mesmo saber a troco de quê. Talvez a gente chorasse por que elas estavam tão longe. Talvez fosse por que a gente ficava tão coisa alguma debaixo daquilo tudo. Talvez a gente estava só com vontade de chorar, e pronto.

E assim a noite estrelada passou por cima de nossas lágrimas, como um rei vitorioso passa a cavalo por cima dos cadáveres do exército inimigo derrotado.

Mas o frio da noite secava o que a gente chorava.

E, na falta de ter alguma coisa para dizer, comecei:

— Aquela é Andrômeda, na constelação de Órion. Era a filha de um sacerdote de Apolo, Júpiter se apaixonou por ela, nove meses depois ela deu à luz a uma menina. Júpiter, que queria um filho homem, transformou a mãe em estrela e a filha num cometa, que, nas noites de julho, dá pra ver passando perto da estrela, é a filha de Andrômeda querendo mamar.

E daí choramos mais ainda, choramos a dor da filha de Andrômeda, cometa engatinhando atrás dos seios da mãe.

De repente, começamos a rir como dois imbecis. Aquilo era tudo ridículo. Dois adultos olhando para as estrelas, e chorando.

Norma formulou, enxugando as lágrimas:

— Primeira estrela que vejo, satisfaça meu desejo.

Perguntei:

— E o que é que você *mais* deseja?

Uma noite e tanto. Voltamos para a casa, eu com o queixo doído, e vários pentelhos presos entre os dentes.

3

Tinha que me apressar. Debaixo de mim, já podia sentir vida trepidando, portas que batiam, passos de muita gente, vozes, ordens, copos tilintando, talheres tremendo nas bandejas, carros freando, motores batendo como um coração. A festa!, como é que podia ter esquecido?

Minha roupa estava um horror. Tinha apanhado muita chuva, ao voltar para a casa, quinze minutos batendo na porta até o criado abrir. Dormindo, a roupa tinha secado. Mas eu estava todo descomposto, a calça sem vinco, o paletó como um desses bilhetes que a gente amassa, joga no lixo, depois se arrepende, vai lá, desamassa e lê:

— Oito horas sem falta...

4

De cara, encontrei um conhecido. É herdeiro de uma grande fábrica de fitas para máquinas de escrever, que exporta até para a Guatemala e a Tanzânia.

A gente se conheceu no consultório do professor Propp.

Tem uma ideia fixa. Meteu na cabeça que o Pentágono implantou uma microbomba atômica no interior do seu cérebro, um pouco abaixo do cerebelo. E lá está ela, esperando para ser acionada. Está certo que a guerra atômica vai começar com a explosão da bomba que carrega em seu cérebro. A bomba será imediatamente detonada no momento em que disser *uma determinada palavra*, evidentemente que não diz qual. Se disser, a vibração exata daquelas consoantes e vogais ativa o mecanismo da bomba, e o mundo vai pelos ares, a começar pelo cogumelo que se levantará da sua cabeça.

Propp sempre teve muita paciência com ele. Aquele jeito do Propp, vocês sabem, não diga nada, só fique aí, me conte tudo desde o princípio, não diga nada que não quiser dizer, dizer não é tudo na vida, que tal um cafezinho, já ouviu falar na história do príncipe que saiu de casa e encontrou o dragão, a bela que, no fundo, era uma fera?

Me reconheceu assim que cheguei em sua frente.

E já começou gritando:

— Sai!, sai!, que eu digo a palavra.

E virava para a vasta assembleia de penteados caríssimos e bigodes espantados:

— Eu vou dizer a palavra! Eu vou dizer a palavra! Juro!

5

Me afastei discretamente até um casal ao lado, suportei o olhar crítico em direção ao amarfanhado das minhas roupas, e arrisquei:

— Beber sem comer é nisso que dá.

Era uma frase idiota como qualquer outra das que estavam sendo ditas naquela festa. Melhor isso que a palavra do lunático que explodiria a bomba atômica implantada em seu cérebro.

O casal comentou que era uma pena um cavalheiro de aparência tão distinta dar um vexame daqueles. Também achei. O garçom passou com uma bandeja. Me casei com um copo de uísque, e fomos felizes juntos durante alguns quinze minutos.

Daí, eu vi.

6

— Coisa de velho. Sabedoria é coisa de velho, tesouro.

Foi o que Norma me disse, um dia, depois de uma tarde inteira de, bem, vocês sabem, aquelas coisas todas que vocês nem imaginam.

— Sempre fui velho, respondi, aquele sábio chinês que dizem que já nasceu com oitenta anos.

— Também não vamos exagerar, ela respondeu, me agarrando pela cintura.

— Norma, perguntei de repente, como se alguém estivesse apertando meus bagos, você chega a me amar?

— A um velho como você? Não seja ridículo.

Estava brincando, eu acho, é claro. Com as normas, nem é bom facilitar, nunca se sabe. Mas acho que sim, ah, vá sorrir daquele jeito que sorria quando me via.

— Não acredito, experimentei a bola no canto esquerdo.

— Prove.

— Você não deixa.

— Que tal mudar de assunto?

7

Com aquela cara de homem fingindo estar interessado no papo de uma mulher apenas porque está com vontade de comê-la, com aquela cara de mulher costurando e bordando pensamentos apenas porque está a fim de ser comida por ele, cheguei, caprichei, relaxei, e não perdoei:

— Tem fogo?

8

Norma brilhava no meio de uma roda de amigas, contando alguma história que as divertia demais. Minha chegada, além de inoportuna, era ligeiramente indelicada.

Olhou para mim como quem tira os olhos do fundo do mar, polvos, lagostas, lulas e algas ainda palpitando nas pupilas. Me olhou como uma pessoa hipnotizada, sonâmbula, ausente, e voltou a contar sua história.

— Morrer é apenas uma das coisas que podem acontecer com a gente. Talvez a menos importante. Uma mera formalidade.

9

Fiquei por perto. E a história me chegava em pedaços, essas coisas que descem o rio, em épocas de enchente, será que aquilo é um tronco ou um jacaré, raízes flutuando como esponjas ou bolos de barbante, a água mudando de cor, a cada momento, e a cada novo olhar.

Às vezes parecia estar contando um filme, algumas frases pareciam pessoais, num dado momento pensei ouvir Norma dizer: e o tolo imaginou que já tinha começado, imaginem, um dia *antes* da festa começar. Todos riram.

Menos eu. Eu viajava nos RRR, nos SHHHHH, nos AHHHHHs, naquele U, que era algo como entre A e E, só passando ligeiramente pela região do U, um U meio W, e não me importava que aquilo não tivesse sentido, contanto que eu pudesse continuar indo daquele F àquele Q, daquele P ao X, ao Y, ao Z.

Eu sabia o que estava por vir.

10

— Telefone para o senhor.

CAPÍTULO 11

1

Na parede ao fundo, sobre o sofá onde Norma brilhava, o maldito quadro tirava o olhar de todo mundo para dançar. Perseu matando a Medusa. Cabelos de serpentes, a Medusa transforma em pedra todo mundo que a fita, fita, fita, pedra, pedra, pedra. Perseu chega, a espada numa mão, um espelho na outra. Vendo-a no espelho, corta-lhe a cabeça. O quadro representa Perseu no exato momento em que ergue a cabeça decepada da Medusa. Mas o espelho onde viu, imune a seus poderes, o rosto do monstro, ainda jaz a seus pés.

Nesse espelho, muita, muita, *muita coisa*.

2

Lancei até Propp o olhar mais parecido com uma pergunta de que meus olhos foram capazes.

— Vejamos. Fotos de mulheres nuas, gosta de ver?

— Não mais nem menos que todo mundo.

— Livros assim desses, você sabe?

— Alguns lá em casa o senhor precisava ver.
— Nome de algum?
— "Sete Noites em Sodoma e Gomorra", "Teatro dos Prazeres", "A Noite das Massagistas", "O Bem Dotado e Suas Sete Amantes", "O Banho de Língua", "Triângulo das Delícias", coisas assim.
— Escoptofilia.
— Isso é ruim?
— Quando criança assistiu *alguma vez*?
— Assistir o quê?
— Você sabe. *Os dois*.
— Os dois?
— É, papai e mamãe, você sabe, ora, como você sabe!
— Pena que nossa história tenha que terminar *assim*, cortei rente.

Passei por Norma, e joguei o olhar que melhor significasse, assim não brinco mais, lamentável que tudo tenha que ter sido desse jeito, não fui eu que inventei o mundo nem a vida nem a maldita hora em que me convidaram para vir virar pedra, pedra, pedra, fita, fita, fita, nesta festa filhadaputa, enfim, essa história toda está *muito mal contada*.

3

Me olhei no grande espelho do salão, e a festa atrás de mim, falsas marquesas e pseudovirgens, semiartistas e quase milionários, mordomos solenes como cardeais e sujeitos de muitos negócios e interesses. De relance, meu companheiro de consultas ao professor Propp, aquele, vocês sabem, que acreditava ter uma microbomba-atômica implantada no cérebro. Estava mais calmo, dava um gole, e parecia ter desistido, por hora, de mandar o mundo de volta para a puta ou para o deus que, um dia, o pariu. A bebida tinha amolecido seu coração, e se abraçava com o corrimão da escada, beijando-o como se fosse.

O dono da casa e da festa passou e parou, o tipo que tinha conversado comigo há pouco lá atrás.

— Gostando?, começou, e logo estava me contando como sua fortuna havia começado.

Antes de tudo, tinha sido ladrão de arte sacra. E me contava isso como se o sagrado dos retábulos e dos turíbulos, das estatuetas e dos cibórios, como se a santidade dessas coisas tivesse passado para seus milhões atuais.

— Deve ter dado sorte, não acha?

Devo ter respondido qualquer coisa relativa ao caráter sagrado do dinheiro. Mas não me lembro bem, como, aliás, não me lembro bem *de nada*. O diabo me coma o cu se eu se eu estava entendendo alguma coisa daquela coisa toda.

4

Só Norma que não. Uma porção de mulheres naquela festa me mandando aquele olhar que a gente reconhece de longe. E longe elas estavam, muito longe, Andrômeda, Órion, estrelas da Ursa Maior, maravilhas na distância, escoptofilia.

Norma eu vi no espelho. E ouvi sua voz adocicada, coentro, pimenta, canela, cravo, salsa, creme de leite com queijo parmesão por cima, uma voz com todos os temperos.

Estava bebendo há horas. Ou era anos, há séculos, há milênios? Era como se eu estivesse bebendo desde o início dos tempos, desde o primordial *era uma vez um universo que pensava que era feito só de matéria*, bebia desde a eterna coisa alguma donde tinha vindo, bebendo até o permanente nunca mais para onde eu, nós, a festa, a casa, tudo, irremediavelmente, íamos.

— Ar!, pensei.

Ar é sempre uma ótima ideia. E lá fui atrás de ar, com o máximo de elegância e sangue-frio de que pude dispor no sufoco daquela euforia.

5

Não longe de Sírius, a mais brilhante das estrelas da constelação do Cão Maior, um tênue ponto de luz, a estrela, consideravelmente menor, conhecida como o Cachorro. Embora de dimensões pequenas, seu núcleo contém matéria *tão densa* que a quantidade dessa matéria necessária para encher uma caixa de fósforos (tem fogo?) pesaria 50 toneladas.

Agora, imagine-se uma estrela feita de matéria *tão densa* que a quantidade dessa matéria suficiente para encher uma caixa de fósforos pesasse 10.000 milhões de toneladas. Nem mesmo a 1080 milhões de quilômetros por hora — a velocidade da luz — seria possível vencer a absoluta força de gravidade dessa estrela. A própria luz, com seus 300.000 quilômetros por segundo, estaria sujeita a essa força, o que tornaria essa estrela *para sempre invisível*.

Existem estrelas assim.

6

Não chovia mais. E a chuva tinha deixado entre as árvores em volta da casa aquela sensação de vazio que a chuva tem a mania de deixar depois que chove até o cu fazer bico. Um vazio rápido, como se fosse artificial.

Então, eu ouvi:

> Se esta casa,
> se esta casa fosse minha,
> eu mandava,
> eu mandava ladrilhar...

Não tinha ninguém fora da casa, todo mundo lá dentro, bebendo, comendo, se mostrando, aparecendo, descolando homem, descolando mulher, fechando negócios, se abrindo, passando.

Andei atrás da voz. Vinha de um caramanchão, no lado esquerdo do jardim.

> Se esta casa,
> se esta casa fosse minha...

Era uma menina cantando. Cheguei manso como quem chega para não assustar passarinho. Perguntei o nome.

Nem precisei ouvir para, *mais que saber*, TER CERTEZA.

— Norma, ela disse, com aquela vozinha de derreter o coração.

CAPÍTULO 12

1

Se esta casa,
se esta casa fosse minha...

A voz miúda foi diminuindo, diminuindo devagarzinho, à medida que eu chegava mais perto. De repente, não aguentei mais e tive que perguntar:
— E se fosse tua, que é que você fazia?
— Se fosse minha? Ela disse quase gargalhando. Mas essa casa é *toda minha*. As pessoas que estão lá dentro são meus brinquedos. Alguns eu inventei. Alguns meu pai comprou.
Olhei para a casa, toda iluminada, e o que ela dizia parecia ser a única frase que fazia sentido em todo o universo.

2

Assim que se aproxima do buraco negro, o gás se torna invisível, penetrando no que é conhecido como o *horizonte de acontecimentos*. Até mesmo a atração gravitacional dos buracos negros deve ter um limite, e deve haver um ponto em que *a luz não possa nem se libertar nem ser absorvida*. Neste horizonte de acontecimentos, a luz permaneceria imóvel. Uma vez atravessado o horizonte de acontecimentos, um astronauta não poderia escapar. Na realidade, quanto mais se esforçasse para evitar o destino que o esperava, mais rapidamente este se avizinharia, pois a energia despendida na tentativa produziria um aumento de massa, intensificando a atração gravitacional.

Estrelas de nêutrons, anãs brancas, gigantes vermelhas, notas altas, adeus. Desde que comecei minha história com Norma, nunca mais um dia de sossego.

3

Ainda estava com o cigarro por acender numa mão e, automaticamente, ia pedir fogo, aliás, pedi, só para ouvir:
— Fogo? Não posso brincar com isso. Minha mãe diz, quem brinca com fogo mija na cama.

Ela se balançava numa balança enquanto falava. Eu dizia uma coisa, ela embalava a balança até lá em cima, e me respondia na volta, quando passava por mim. Subia, descia, subia.

Comecei a ficar tonto.
— Está ficando tonto?, ela perguntou numa passagem.
— Um pouco.
— Cuidado, ela alertou na passagem seguinte.
E na seguinte:
— Pode ser que eu troque você.
E na seguinte:

— Por algum outro...
E:
— ...brinquedo...

4

Uma vez que estes corpos não emitem luz nem ondas-raio, as teorias sobre sua existência baseiam-se apenas nos astros vizinhos, sujeitos à sua influência. Possuindo uma força gravitacional absoluta, atraem para dentro de si toda a matéria que surja em suas proximidades. Há mesmo uma teoria segundo a qual os buracos negros vão acabar por absorver tudo quanto existe no universo.

Chega. Eu desisto.

5

Os ruídos da festa eram um estrondo lá longe, quando sua mãozinha pegou na minha mão e lá vou eu:
— Venha cá, vou lhe mostrar onde a festa começou.

CAPÍTULO 13

1

Me levou até um descampado, levantou a mão para cima apontando o formigar de estrelas, limpo depois da chuva.

— Aqui, ela decretou, e nos sentamos na grama molhada.

Entendia de estrelas mais que eu, que queria, um dia, ser pago para saber delas.

— Aquela é Mizar, na constelação da Ursa Maior.

Eu repetia, extasiado:

— Mizar, na Ursa Maior.

— Aquela é a Achernar Austral, a alfa na constelação de Erídano.

— Achernar, eu repetia.

— Adelbaran, Arcturus, Pólux, Canopus, Prócyon, Antares...

O dedinho percorria o céu, tim-tim... por tim-tim, denunciando aqueles mundos enormes, maiores que o sol.

— Contar estrelas dá berruga no dedo, eu falei.

De repente, ela apontou o dedo, o braço tremendo como um galho surpreendido pelo vento.

— Está vendo?, é a Pólux Boreal, a alfa da constelação de Gêmeos. Foi *lá* que a festa começou.

2

E começou a conversar com elas.
— Oi, Andrômeda! Como você está bonita hoje! Que tal, os warhoos conseguiram vencer os povos gasosos do planeta Smargh? E os pantanais de Kolúlu, continuam produzindo gronfos? Aposto que a terra de Naid ainda não, bem, você sabe.
Moveu o dedinho e:
— Betelgeuse, que vergonha! Você podia estar mais brilhante hoje. Mas como é que você poderia com todos aqueles proctores enfristulando você? Tenho andado tão triste desde que os churrs mertriaram toda a tua tenoctília...
Achei tudo aquilo perfeitamente natural, como o pedaço de doce que ela me estendeu com seus dedinhos de contar estrelas, como se me oferecesse Mizar, Altair ou Arcturus.
— Quer?
Masquei o doce lembrando daquela vez, há milhões de anos atrás, quando olhei estrelas com Norma Propp, e a gente chorou, e aquilo tudo.
Cuspi o doce, me lembrando que detesto doce, e me deu uma vontade desesperada de beber, beber pesado, e acabar com tudo aquilo *de uma vez*.
Levantei, alisei a roupa e comuniquei:
— Vou lá dentro apanhar uma bebida. Fique aí que eu já volto.
— Você não vai escapar de mim tão fácil.

3

Quando cheguei no salão, o pau comia. Ainda deu tempo de ver um garçom descendo a bandeja de salgadinhos na cabeça careca de um senhor que segurava pelo pescoço o meio palmo de língua de um rapazinho que esperneava como um frango. Pendurado no lustre, o dono da casa se balançava até cair num bolo de gente, dando porradas e pontapés. As damas presentes lançavam altos brados, como as fêmeas dos babuínos, quando o bando é atacado pelo leopardo, no meio de uma tempestade. Choviam copos, pratos, vasos, pedaços de bolo, pastéis, perucas, sapatos, dentaduras, cigarreiras de prata, isqueiros, relógios, colares de pérola cruzavam os ares como boleadeiras, todos os insultos e pragas tinham saído de dentro do inferno daquelas almas penadas.

Já entrei dando cacete. Depois de uma rasteira num desabusado que avançava para mim, empurrei uns dois, acertei um direto em cima do olho de um outro, e chutei a cara daquele paciente do professor Propp que gritava sempre:

— Eu digo a palavra! Eu digo a palavra!

Eu tinha uma missão pela frente e a cumpriria nem que fosse com sangue pelos joelhos: *tinha que chegar até um copo de gim-tônica.*

Num clic, tudo parou. A pancadaria cessou, as pessoas começaram a se limpar, a pedir desculpas uns aos outros, as senhoras voltaram.

E por toda a sala se ouviam:

— O senhor esteve ótimo.

— Grande porrada a sua.

— Espero contar com seu soco na cara na próxima.
— Disponha. O senhor também bate muito bem.

Por todo o campo de ruínas, os criados juntavam coisas, amontoavam pratos quebrados, reacomodavam as flores amarfanhadas nos vasos, uns já varriam.

Procurei a causa daquele cessar-fogo instantâneo.

No alto da escada, ela.

Norma começou a descer, degrau após degrau, saboreando cada degrau como quem deglute uma fina iguaria. Tinha posto um vestido de gala, desses de cantoras e atrizes de antigamente. E sorria, democrática, para todos os lados.

A sala logo está recomposta, pronta para ouvir. Um que outro criado ainda dava jeito num cantinho mais convulsionado. A distinta plateia ficou distinta de novo, sentando quietinha, nos sofás, nas poltronas, nas almofadas, todos os olhares em Norma, todos se esforçando por produzir o silêncio que ela merecia, um silêncio de vinte e quatro quilates.

Norma avançou até o meio da sala. E então foi aquele negócio.

Começou com "Until The Real Thing Comes Along", da Ella Fitzgerald, e foi embora cantando, cantando tudo.

Então, ouvi na plena luz dos lustres e candelabros aquela voz que eu tinha ouvido (ou tinha pensado ouvir?) na noite passada, quando voltei para a festa, durante a tempestade, na casa vazia, só eu e o criado, e eu tive aquele sonho, se é que sonho foi (e *eu posso provar* que não foi).

De repente, alguma coisa começou a mudar. A voz de Norma começou a acelerar como uma gravação que ganha mais e mais rotações por segundo. Eu sabia! Eu sabia!

4

TUDO ESTAVA MUDANDO. Algo de maligno naquela casa impedia que as coisas *permanecessem como estavam*. E senti de novo aquele cheiro de queimado, enquanto socorriam Norma que, durante um agudo mais lancinante, teve um desfalecimento, e foi caindo, caindo lentamente nos braços de vários circunstantes, que acudiram solícitos.

Desmaiada, os cabelos soltos caindo para o chão, Norma foi levada nos braços pelo dono da festa até uma porta atrás do salão, e desapareceram, seguidos por vários homens e mulheres, que cochichavam como durante uma missa.

Olhei para a cara dos presentes. Todos tinham mudado. Os rostos tinham adquirido uma expressão perversa, até a luz parecia ter mudado, e o silêncio, depois da voz de Norma, era quase insuportável.

Então, o mordomo começou a anunciar a cada grupo, em cada canto, com toda a polidez:

— Está na hora, senhor. Minhas senhoras, está na hora.

Solenemente, todos foram se levantando, ajeitando as roupas e caminhando, sem pressa, para a porta por onde tinham passado Norma, nos braços do dono da casa e os outros.

Me levantei também, e ia começar a acompanhar o séquito quando alguma coisa em mim me disse, *eu podia escapar daquilo tudo*, e eu tinha ficado de dar um telefonema antes de sair da cidade para um amigo qualquer, desmarcando um compromisso.

Pedi um telefone ao mordomo e disquei o número. E a voz que atendeu ao meu alô só respondeu:

— Os warhoos venceram os seres gasosos dos pântanos de Achernar, e quem estiborna agora são os comários de Quadrak.

Depois, silêncio. Olhei, e os últimos convivas sumiam pela porta por onde tinha saído Norma, nos braços do dono da casa. Olhei em volta, para o salão vazio, lustres e candelabros luzindo para ninguém.

Me apressei e fui atrás. Eu não perderia aquilo por nada deste mundo. *Fosse lá o que fosse.*

CAPÍTULO 14

1

Um dia, nos surpreendeu, a Norma e a mim, em flagrante delito. Acho até que a gente quis aquilo, *alguma coisa*, pelo menos, quis, pois não era lá uma ideia perfeitamente idiota partir para a pesada, em pleno consultório, numa hora quando Propp podia voltar *a qualquer momento*?

— Hoje, quero romper a barreira do som, falei a ela, enquanto a gente arrancava a roupa um do outro, botões saltando para todos os lados, gafanhotos pulando na grama de uma noite de verão.

Norma não disse nada. Mas entre beijos e amassos sentia que estava para o que desse e viesse, um daqueles momentos em que elas desligam toda a bateria antiaérea, e se tornam apenas aquilo, vocês sabem.

Não deu tempo. Ao escancarar a porta, Propp ainda surpreendeu a cabeça do meu pau na boca de Norma.

Que seria da vida sem esses momentos sublimes?

Propp deixou a porta como estava, Norma como estava, eu como estava, nem me perguntem como, nem como, nem como. Mas não saiu. Ficou sentado diante da mesa da saída, esfinge no caminho de Édipo. Eu *tinha* que chegar até Tebas, um príncipe de sangue real não vai se mixar para um velho, tão ancestral quanto a medicina que receitava sanguessugas.

Num instante, me recompus, enfiei a sunga às pressas e como estava, só de meias, todo despenteado, irrompi na sala de espera, bati continência, e me declarei:

— Professor Propp, amo sua filha. E quero casar com ela.

E Propp:

— Será que você não vai aprender *nunca*?

E eu, que me considerava apenas alguém em busca da sabedoria, caí chorando a seus pés, num soluço só:

— Perdão, papai, perdão! Juro que não faço mais!

2

Durante duas semanas, não tive coragem de aparecer. Não tive paz. E deixei de me olhar no espelho.

No anoitecer de uma quarta-feira, me lembro bem, tinha trabalhado pra burro a tarde inteira, e de noite tinha aula no observatório, uma espécie de prova, decorar a lista das estrelas duplas e múltiplas, a beta da constelação do Cisne, a alfa da constelação do Centauro, a gama de Leão, a gama de Virgem, e recebi um telefonema de Norma:

— Papai está preocupado com você. Venha aqui a-manhã.

— E você? Como é que você está?

— Eu vou estar aqui. Venha às quatro sem falta. Sabe como ele é com atrasos.

Foi tudo. E eu fiquei lá como uma besta, aquele imbecil daquele telefone na mão fazendo tuim-tuim-tuim. Joguei o aparelho no chão, e comecei a chutá-lo, chutei bem uns dez minutos, até cansar. Deitei no tapete, peguei o aparelho, botei no ouvido: silêncio absoluto.

Fazia tempo que não me sentia tão bem.

3

E segui a multidão que descia, descendo escadas e mais escadas, os cochichos ecoando pelos corredores, escadas abaixo, mais abaixo, parecia que todos queriam chegar no polo sul, atravessar todo o gelo, todo o frio, e desciam mais, e mais, e mais, como se depois do frio quisessem chegar até o inferno, aquele inferno medieval que ficava no fundo da terra, no fundo das coisas, no fundo das profundas de tudo, e onde mais ficaria?

Até que chegamos ao lugar do sacrifício.

Norma estava lá, deitada naquela cama de pedra, inconsciente.

A multidão a cercou, o dono da casa disse:

— A vítima está um pouco magra, não acham? O sacrifício tem que ser gordo. Vamos engordá-la?

Tirou o pau para fora, e a perfurou. Levou um tempo. Veio outro. E mais outro. E outro, e mais outro. Todos se serviram, sem tirar a roupa, rápidos. Então, alguém disse:

— As senhoras presentes que quiserem se servir se sirvam.

Começaram a chegar em Norma, como quem aproxima a boca de uma fonte, e longamente a beberam, todas elas.

Norma apenas gemia, às vezes, como quem sonha algum sonho.

Fui um dos que comeram e beberam Norma, aquela noite. Fui um dos que a assassinaram.

4

Voltei com o copo de gim-tônica, para baixo das árvores, lá dentro a festa ardendo como uma fogueira.

Chamei:

— Norma, e não tive resposta.

Vi a balança subindo e descendo, e nem podia ser o vento. A pequena Norma acaba de sair daqui.

Lá está ela me chamando daquela janela, logo acima da escada, logo depois do longo corredor, logo ali.

Cheguei sem fôlego. Ela me olhou com desprezo:

— Os warhoos tomaram o poder em Achernar, e você não fez nada?

E me atacando começou a chutar minhas canelas, que não são de ferro, como todo mundo pode imaginar.

— Pare com isso, eu falei. Os warhoos caíram na nossa armadilha.

Ela parou. Afastou-se. E olhou para mim.

— A atmosfera de Achernar é fatal para os warhoos. Eles só têm dois mil anos-luz de vida, eu gritei.

— Mas os strelitz vão miricondar todos os prosnômios de Khandar!

Quanto mais ela gritava, jurks, yaraconds, nelmeiam, osks, mais longe ia ficando, até que eu a via como quem vê alguém, um ponto muito lá longe no começo de um infinito corredor, alguém aí?

De repente, tudo mudou. E ela estava ali, *na minha frente*.

— Para onde você acha que a estão levando?, perguntei.

— Lá para baixo, é óbvio.

— Alguém precisava fazer alguma coisa.

— Nem me importo, vai ter o que merece.

— Você não gosta dela?

— Odeio.

— Mas que foi que ela te fez?

— Nada. Vive dizendo por aí que eu não existo, imagine.

5

— Quer ver o que vão fazer com ela?, me convidou com o dedinho.

Fiquei gelado. Não sabia o que iam fazer com ela, mas imaginava que ia ser alguma coisa atroz, maligna, excessiva.

— Até lá, não, eu falei. Vão matar a gente.

— Conheço uma outra passagem até lá embaixo, e tem uma janelinha, dá pra ver tudo.

— Tudo, o quê?, perguntei, quase em pânico.

— Tudo o que fazem com ela, toda a primeira sexta-feira do mês.

— E o que é?

— Eles a matam.

Minha cabeça girou, dei mais um gole no gim-tônica, e entendi tudo. Norma era a mãe desta menina, e ela assistia aos rituais horripilantes a que submetiam sua mãe.
Então, ela disse:
— Sei o que você está pensando.
— Sabe?
— Você pensa que Norma é minha mãe. Mas está completamente enganado. Eu sou a mãe dela.

CAPÍTULO 15

1

Como o professor entrou no rolo da minha vida, fica difícil de precisar agora, nem me peçam para historiar quando começou a função *estudante olha pra cima e vê Propp*.

Logo eu que tinha tanto medo que mãos *que não as da minha mãe* tocassem na volátil película da minha subjetividade, quanto tempo você acha que eu passei procuração a ele para atribuir significado aos atos da minha vida?

Nosso primeiro encontro, ele me disse, o que você quer? Eu respondi, atingir a sabedoria, é claro. E ele me disse, o que é que você entende por isso? Eu respondi, e o senhor acha que, se eu soubesse, ia estar aqui perguntando?

2

— A primeira coisa é *parar de tentar mudar os fatos com palavras*, depois virão as outras, Propp falou, me

deixou intrigado, e chamou a filha para fazer minha ficha, primeira vez que Norma e eu nos vimos, vimos?
— Profissão, perguntou.
— Imbecil.
— Origem.
— Desconhecida.

E daí rolaram todas aquelas questões, números, endereços, telefones, internações anteriores, hábitos alimentares, preferências sexuais, escolaridade, hobbies, sinais característicos, passado esportivo, aptidões artísticas, militância política, filiação partidária, quantas línguas domina, integração comunitária, acredita em Deus?, o que acha da atual administração?, já ouviu falar num disco chamado "New Jersey Nirvana"?, sua mãe é séria?, já praticou vudu?, vai regularmente ao banheiro?, masturba-se com frequência?, consegue, de pau duro, atingir seu próprio cu com a glande?, sabe o que estamos fazendo aqui?

3

— E a gente aqui enquanto os warhoos massacram toda a população de Achernar.

Olhei para os olhos dela, e meu olhar subiu, passageiro no seu, em direção ao alto. A máquina noturna do céu tinha girado um pouco, a pressa, vocês sabem, que tem um relógio para ir das sete e vinte às onze e quarenta e sete. Meia-noite e quinze!

Se a gente queria fazer alguma coisa por Norma, era bom agir certo, e rápido.

4

— A glória é o aplauso dos pais, disse Propp, me dando um tapinha na bunda, e me impelindo para o salão, onde entrei sob cataratas de palmas, que agradeci comovido, até descobrir. Eram para Norma, que descia as escadas, lá vai ela deliciar os presentes com tudo o que cantava.

— Enfim, alguma coisa acontece nesta festa, ouvi uma senhora dizer ao meu lado, perua esticando o pescoço para a banda do vento donde vinha carne fresca.

Nesse momento, o cheiro de coisa queimada, e senti como é duro o caminho até lá, até a sabedoria, se é que essa porra existe.

5

Nunca tinham sido raça de guerreiros, os warhoos, seu domínio indo dos pós de planetas entre Achernar Austral na constelação de Erídano até os arredores de Pólux Boreal, na Constelação de Gêmeos. Seus tradicionais inimigos, os seres gasosos dos pantanais de Canopus, souberam aproveitar muito bem uma falha dimensional entre Vega e Adelbaran, e penetraram em seu sistema molecular. Os seres gasosos dos pantanais de Canopus sempre foram temidos em muitas galáxias pela habilidade em aletrar, isto é, atrelar, isto é, alterar a estrutura molecular das suas vítimas. Para os de Canopus, qualquer ser pode ser transformado em qualquer um.

Com os warhoos, porém, um problema insolúvel pela frente. A principal característica destas figuras era exatamente PODER SE TRANSFORMAR EM QUALQUER COISA. Sendo assim, os seres gasosos corriam o risco de transformar um warhoo NELE MESMO, o que não era bom negócio pra ninguém.

Essas crianças têm mesmo cada uma.

6

O dedinho me chamou em direção ao subterrâneo. Comecei a descer, escorreguei, e quase me dissolvi no chão de treva pura.

— Espere, ela falou. Eu tenho fogo.

Logo uma vela dizia pisa aqui, pisa ali, cuidado, esse degrau, parecia que não acabava nunca, eu estava descendo nas tripas de alguém em direção ao cu, e não tinha fim aquele intestino delgado, aquele intestino grosso, voltas e voltas, girando, girando, até ela dizer:

— Pare aí. É aqui.

Pum!, eu parei, suando com o exercício daquela descida, a camisa empapada, roupa grudando, a casimira da calça pinicando as pernas, sempre sentindo aquele cheiro de queimado, fervendo de febre: *eu queria ver*, eu queria assistir aquilo, fosse o que fosse, *ver era a felicidade*, e talvez, talvez, talvez. No fim da escada, numa parede, aquela janela, pequena como um buraco, dava para o imenso salão, lá embaixo. Reconheci todo mundo em volta de Norma, ele, ela, aquele, eles dois, todos eles, todas elas.

CAPÍTULO 16

1

— Sinto a presença dos seres gasosos de Canopus, ela suspirou, enquanto a gente passeava debaixo das árvores.
— Bobagem, é a neblina depois da chuva.
— Não acredita em nada, não é mesmo? Pois você vai ver.
Chegou mais perto de uma nesga de neblina e gritou:
— Mizkolitz! Ganubar! Orref!
A neblina se dissipou, em noite clara.
— Viu?, ela perguntou.
— Vi o quê?
— Vai me dizer que não viu o gasoso ficar com medo, e evaporar de volta a Canopus?
— Tudo o que eu vi foi a neblina sumir.
— Será que você *nunca* vai entender?

2

Ainda teve outro incidente que nem mencionei, mas é que tem uma coisa sobre a qual não quero falar, bem, mas acontece que aconteceu uma coisa na festa, e eu não posso continuar com essa história toda sem contar que lá um mordomo me procurou, me dizendo, desculpe, o senhor é o número dezessete, eu disse, o quê?, por que dezessete?, e ele disse, não, na lista aqui dos convidados o senhor está como dezessete. O senhor não é fulano de tal, assim, assim, assado? Eu disse que não, nem era esse meu nome, deve haver algum engano. Não havia engano. O convidado para a festa *não era eu*.

3

— Telefone para o senhor.
— Sim?
— Oi, tesão, e esse pau enorme continua durão? Uma lambida nele.

Reconheci a voz. E continuei ouvindo o festival de fantasias eróticas, em nome do pai, do filho e do espírito tonto.

Pensei rapidamente, se meu nome não é aquele, se minha presença aqui é um equívoco, estou recebendo o telefonema endereçado a quem?

E daí? E envenenei todas as frases:

— Ai, lambida gostosa. Olha só como ficou. Até parece que está maior. Passa, ai, a língua aqui, por aí, assim, assim, aí, bem aí.

4

Propp tinha uma brincadeira que o divertia muito, quando eu lhe perguntava o porque de alguma coisa:

— Com por que é mais caro, e só depois das cinco.

Era a origem de todos os males da pele, do intestino e da cabeça. O mundo ia muito bem até nascer o porque. E foi me dizendo logo de cara, se eu queria atingir alguma coisa tinha que me livrar desse vício.

No começo, é difícil. Sem por quê, viver, arrastar esses dias, um atrás do outro, é subir uma escada sem corrimão, entrar pelado no mar, andar no mato de olhos fechados, dormir ao relento e sem cobertas. Mas, enfim, a gente acaba se acostumando a qualquer coisa. Me acostumei a viver sem perguntar por quê. E a só frequentar as questões periféricas, como?, quando?, onde?

E lá estava ele, de novo, citando aquele velho rabino da Idade Média, *não tente melhorar o mundo, você só tornaria as coisas piores*. Claro que eu não concordava. Mas Propp achava a resistência ao tratamento um sintoma seguro de recuperação, um sinal de boa vontade em relação à mudança.

Pegue a função XI, por exemplo, da lista de funções, "o herói deixa a casa". Para ele, isso era um fato absoluto, diante disso qualquer por que era *puramente ornamental*. Era um tijolo da vida, uma entidade molecular, inútil buscar arquiteturas por trás. As coisas partiam daí. Para trás, apenas a imensa incógnita, que se media em anos-luz como as distâncias entre os corpos celestes.

Com isso, Propp me ensinou (seria essa a palavra?, acho que *me adestrou*) a ser um protagonista invisível da minha vida, o personagem de vidro por onde a vida passa como um raio de luz por um cristal. Não por um vitral, onde já está escrito tudo aquilo que a luz tem que significar. Ou quase, talvez. Essa era outra das expressões favoritas do professor. *Quase, talvez*. Na dupla dúvida, uma dúvida lançando desconfiança sobre a dúvida vizinha, equação de quarto grau, nessa vertigem imaginava Propp fundar sua certeza.

Como todas as certezas, era apenas *uma*. Uma das N certezas, num universo onde todas são igualmente prováveis. Mas era, enfim, uma certeza, quem sabe.

Um dia, sonhei com ele. No sonho, era o dono de um bar, onde eu chegava e perguntava:

— Tem cerveja?

E ele respondia.

— Não.

— Tem certeza?

— Também não.

CAPÍTULO 17

1

— Era uma vez, num reino muito distante, um técnico em computação que trabalhava num grande banco. E ele bolou um grande golpe, que nem Deus ia notar. Programou o computador para retirar dez centavos de cada conta aberta no banco, e lançá-los no último nome possível da lista alfabética dos depositantes. Assim, ganhou fortunas, até que, um dia, abriu conta no banco um certo senhor Zyzwet, o nome que não podia existir. Zyzwet estranhou que seu saldo subisse constantemente, ficou com medo, procurou a gerência, e assim acabou uma bela carreira.

Um saco esses papos que a gente ouve nessas festas, meros pretextos para praticar em voz alta o nome dos povos, as feéricas notícias de jornal, esse saber que pensa saber tudo apenas porque sabe *o que todo mundo sabe*.

2

Pela pequena janela, assistimos ao destino que coube a Norma.

O enorme fálus de couro que foi introduzido entre suas pernas por três dos cavalheiros presentes, seus estertores violentos, o filete de sangue escorrendo no canto dos lábios, a suspensão dos movimentos, a palidez cadavérica.

Fiquei ali, vendo, lívido, o coração cheio de areia.

— Ela está fingindo, disse meu anjo da guarda.

— O sangue me pareceu real.

— Você acredita em qualquer coisa que vê, don't you?

3

Não estava fácil ser um warhoo, naqueles dias de dominação dos povos gasosos de Canopus. Todas as imaltz de Rpex tinham sido silbt pelos flaflos de Schlept. Um klankt depois, e não havia um só samp que não fosse travnik de Gosfrem.

— Nem um só?, perguntei, cúmplice daquele despropósito.

— Bem, tem o caso dos nunaks. Mas é que tem uma coisa sobre a qual *eu* não quero falar.

4

Norma estava morta. Ainda bem que morrer nesta vida não é tudo. Pela janela, assistimos aos preparativos para o funeral. Ela estava morta. Meu olhar a tinha matado. Os criados se aproximam. Cobrem o corpo nu com um manto, enrolam-na e levam embora o que restou. Ainda não é tudo. Os vivos precisam celebrar a morte, o gelado não estar mais, o porquê, o outro lado do lado de cá.

5

Não é que eu gostasse *tanto* de astronomia. Na realidade, nunca tinha me passado pela cabeça ficar a vida inteira olhando pra cima, de noite e de dia, dando para três esfinges de alunos, uma freira, um velho surdo e um garoto pálido que roía as unhas, a relação das 19 estrelas de primeira grandeza, depois de um semestre ensinando o modelo de um catálogo de estrela. O que eu queria mesmo era ser médico, curar bastante gente, milionários de preferência, ficar rico e sair comendo mulheres bonitas naquelas festas que têm de caviar pra cima. Não deu. O que eu sabia era muito pouco. Fiz uma prova ótima. Para ser médico, não deu. Mas dava para escolher entre ser administrador do zoológico local, caseiro numa chácara a quinhentos quilômetros da minha casa, corretor imobiliário, contrabandista de radinho de pilha japonês, alcaguete da polícia ou zelador das joias da coroa no Museu Imperial.

Diante de tamanha riqueza de possibilidades de escolha, optei pela astronomia.

Pelo menos, as estrelas estavam ali toda noite. A não ser que chovesse, é claro.

6

O mordomo irrompeu e anunciou:

— O corpo está sendo velado na capela. E os senhores e senhoras presentes podem se servir a partir de agora.

A voz de Norma ainda ecoava naquele salão, quando todos largaram os copos, se levantaram e, com velocidades variadas, se encaminharam para os fundos da casa.

— Coitada, sofreu tanto, um comentava.

— Para morrer, basta estar vivo, arriscou uma dama mais filosófica.

— Quem diria? Tão moça e tão cheia de vida.

— Descansou, afinal.

— Pelo menos, não sofreu.

— Cantava tão bem.

— Quando chega a hora, minha filha.

— A vida é assim, quando chega na metade, já estamos no fim.

E lá fomos nós atrás do cadáver de Norma, na capela toda iluminada e florida. Tantos gerânios! Ela era *louca* por gerânios.

7

Por um segundo, pensei que uma abelha ou qualquer outro inseto tivesse passado pela minha orelha, deixando aquele zuuuum tinindo. Olhei para trás. E vi a bala arrancar lascas de um tronco de árvore, a três passos de mim.

Me encolhi olhando em volta, com aquele olhar primata.

O próximo tiro acertou no chão, do lado da minha perna esquerda, levantando estilhaços de pedra.

Uma conclusão se impunha, *estão atirando em mim*. Corri para trás de uma árvore. Os tiros começaram a chover em cima de mim.

Em dois segundos, a pequena Norma estava me chamando de uma porta embaixo de uma escada, para onde eu corri, que merda!, será que um astrônomo não pode curtir uma festa sem levar uma bala na cabeça?

Decididamente, este planeta não serve mais pra mim.

— A caçada começou, ela disse, ao fechar a porta, me estendendo a mão, aquela mesma mãozinha que distinguia Achernar de Canopus.

Segurei a pequena pelo braço.

— Que caçada?

— A tua.

— Minha? Não sei de nenhuma caçada.

— Você não está entendendo. Estão *te* caçando.

— Me caçando? Por quê?

Nisso, senti aquela dor aguda no lado esquerdo do peito, o lado comandado por Propp. A dor que me mandava parar de perguntar por quê.

— Sempre escolhem alguém. É sempre assim. Quando você apareceu, eu sabia, alguma coisa me dizia que hoje ia ser você.

— Mas eu não fiz nada.

— Existir basta. E depois tem aquilo que você fez.

E me levou pela mão por uns caminhos escuros, corredores intermináveis, subidas e descidas por escadas íngremes. De repente, parou:

— Espere aqui, ela me disse.

E sumiu.

O silêncio veio para cima de mim como uma obsessão. Um silêncio espesso, hora de dormir. E eu esperei, e esperei. O tiro que passou no meio das minhas pernas, quase me arrancando o saco, me deixou bem claro, *eles* não estavam brincando.

8

Os seres gasosos dos pantanais de Canopus levavam grande vantagem sobre os warhoos de Achernar. Não tinham corpo. Quer dizer, tinham, mas só por um momento. A mais leve brisa, e eles não estavam mais. A princípio, essa característica dos seres gasosos dos pantanais de Canopus representou uma superioridade militar. Mas a astúcia dos warhoos já tinha lidado com problemas bem mais complicados.

Acontece que *meu* problema era mais imediato. Subi uma escada, mais outra, saí num corredor escuro, cego, louco de pavor, tateando as paredes à procura de uma porta. Minha mão sentiu a doce forma de um trinco. Abri e entrei, no quarto iluminado.

— Oi, tesão. E esse pau, continua durão?

Olhei bem, era Norma, a mesma voz, o mesmo rosto. Agora sim, agora tudo estava começando a fazer sentido. Nada como *um pouco de lógica* para acalmar os nervos da gente.

CAPÍTULO 18

1

Dos trinta e um hábitos de Norma que me irritavam até a pele, um em particular fazia tricô nos meus nervos, aquela muito sua mania de pronunciar "Bernardo", com sotaque britânico, como quem dissesse "Bernárdou".

Bernardo vocês sabem quem é, aquele que tinha chegado nela com propósitos mais permanentes, e ela tinha repelido. Repelido é modo de dizer, estranho modo de repelir aquele de ficar dizendo o nome do sujeito a três por dois, bernardo adoraria ouvir isso, bem que o bernardo podia, o tipo da coisa que nenhum homem que fosse macho e não se chamasse bernardo aguentaria por mais de dez anos.

Nossa vida, se é que dava pra chamar aquilo de vida, vivia mal-assombrada pelo nome e pela presença de Bernardo, era só eu me descuidar, e lá estava o nome materializando a figura.

Durante um tempo, cheguei a pensar que o tal Bernardo *não existia*, não passava de uma figura imaginária, um ente de razão operacional, inventado por Norma para manter, pela competição, o meu interesse aceso nela.

Infelizmente, existia. Tinha sido colega dela, no curso de História, quer dizer, o filhadaputa ainda tinha sobre mim uma vantagem histórica, havia um quilômetro dele com Norma que, por mais que eu pedalasse, jamais chegaria a cobrir.

Não me interpretem mal, nunca soube o que quer dizer ciúme. Afinal, não se pode chamar assim esses ímpetos que me vêm, de vez em quando, de botar Bernardo para derreter em azeite fervendo.

Norma não exagerava. Usava o nome de Bernardo só em instantes estrategicamente importantes, às vezes passava semanas sem falar nele. Quando eu menos esperava, lá vinha o nome estragar o voo de um belo momento, como uma pequena noite que caísse, de repente, dentro de um meio-dia de domingo. O mais irritante é que Norma nunca falava dele de maneira superlativa. Era esperta demais para fazer um movimento tão desajeitado. Não. Bernardo sempre aparecia de um jeito oblíquo, ambíguo, às vezes até dava impressão que era alguém por quem Norma *tinha pena*. Chegava até a me falar das coisas que não apreciava nele. Colocava-o em cotejos ridículos, comparando-o com pessoas que a gente não gostava, fulano, sicrano.

Mas ai de mim se fosse cobrar rente *à verdadeira natureza* das suas relações com Bernardo. A gente se curte. Me deu a maior força. Coitado, gosta tanto de mim.

— Coitado por quê?, eu perguntava.

2

Segunda, quarta, sexta, semana após semana, telefonei e nada. Propp nunca tinha tempo. Minha história com sua filha estava deteriorando rapidamente nossas relações. Comigo, não conseguia mais atingir a necessária isenção clínica. Quando a gente se encontrava, cada um olhava para baixo, e para o chão, e para o lado, como se a gente tivesse perdido uma nota de mil.

Contei isso a Norma, ela não deu a mínima.

— Bobagem. Meu pai gosta muito de você. Até me disse o outro dia que você era o personagem favorito dele.

Ah, Norma, sempre brincando, sempre fazendo diferente do que eu esperava. Se pelo menos fizesse *o contrário*. Não, ela fazia uma variante da minha expectativa, não sei se exprimo bem. Com Norma, nunca se sabe, só se desconfia.

O personagem favorito de Propp, eu, quem diria? Foi nesse dia que me senti forte bastante, e perdi a fé nas miraculosas pílulas do professor.

Me veio até um pensamento curioso, quando estava fazendo a barba, logo depois de cagar e tomar banho. O de que minha ida ao consultório de Propp era apenas parte de um *imenso complô mundial para eu me apaixonar por Norma*. Não há outro modo de explicar como foi que perdi minha paz.

Já tinha estado apaixonado antes, não tenho certeza. Além das mulheres, evidentemente, quem é que sabe o que é estar apaixonado? Talvez Norma soubesse. Talvez me passasse isso, como quem passa uma doença venérea.

Tive certeza. Meu encontro com Propp era apenas um pretexto para eu me encontrar com Norma. Não me perguntem se ela achava o mesmo. Não faço a menor ideia do que se passava na cabeça dela, quando a gente saía, se falava ou se chupava. Não que fosse imprevisível, ou qualquer coisa assim. Ela até que era lógica. Só que a lógica dela *não fazia sentido*.

Mas o que mulher quer, Deus quer, dizia minha avó, que entendia de mulher como ninguém, como alguém que tinha botado seis dessas estranhas criaturas no mundo, essas que só existem para tirar nosso sossego e mostrar o quanto somos pequenos, mesquinhos, ridículos.

Eu fazia tudo que ela queria. Ou tentava. Ela não fumava, e detestava o cheiro. Roí quilos de unhas tentando parar de fumar durante duas semanas inenarráveis.

Em troca, o que é que me dava em troca? Se quiserem chamar de amor essa falta de sono, sigam em frente e dobrem a esquina. O consultório fica na Rua 3 de Outubro, 894.

3

Segundo a minha pequena guia nesses mundos, os seres gasosos viviam mais de duas miríades de iknatons. Quase tanto quanto uma ptyx, me segredou, como se tivesse medo que os warhoos a escutassem. Como eu não fazia a mínima ideia do que era uma miríade de iknatons, nem sabia o que era um ptyx, fiquei sonhando em grandezas infinitamente pequenas e infinitamente grandes, brincando de mistério com aquela menina meio pancada, que, vai ver, vai ver, era *a única pessoa* que fazia sentido naquela festa.

Lá dentro, passado o primeiro deslumbramento, o frêmito inaugural, eu sufocava.

Aqui fora vagavam os seres gasosos dos pantanais de Canopus, os rarefeitos enxames de moléculas, dotados de vida e de intenção.

4

Resolvi tirar Propp da cabeça. A merda é que quanto mais eu tento escapar mais proppiano me torno. Estou sempre me sentindo dentro de uma função. Até o meu rompimento com ele e com seu método deve fazer parte de alguma função do tipo "herói chupa a buceta da filha do professor, cai em desgraça e perde a fé".

Eu estava perdido para o método. Me envolver com a filha do homem foi a maior bobeira. Por esse caminho, eu nunca ia atingir nada. No máximo, ia ter umas noites mal fodidas, mal trepadas, mal dormidas. E no final um coração partido. Mas talvez ter um coração inteiro não fosse tudo na vida. E me foder de pai e de mãe talvez não fosse um mau negócio, quem sabe.

Quanto a ela, era o que se sabe. Quando eu pensava que tudo estava voltando a seu curso normal, tudo fugia à norma.

CAPÍTULO 19

1

— Também você veio tão cedo, Norma meio que reclamou.
— Três da tarde, cedo?
— Que três da tarde. Você passou aí pelas dez.
— Diga de novo.
— Vilma me disse, achei esquisito, tinha a impressão que você não acorda antes do meio-dia.

Pessoal, ninguém vai acreditar, eu já estava passando por lugares *antes* de acordar.

Cheguei em Propp, mais animado que um desenho animado.

— Professor, tenho *uma novidade*!

Só precisou dar uma passadinha de borracha no traço de lápis que eu era na época.

— Grande bosta. Não seja idiota, meu filho. Novidade, eu já lhe disse, é uma brincadeira de criança.
— O senhor não quer dizer quê.
— Quero sim. E quero dizer o que eu bem quiser. Quem é o pai aqui? Eu sou o pai, eu sou o senhor, o mestre, o que

dá presentes, o rei que derrota e a mãe que derrama leite na tua boca, o sacerdote que te joga na frente da verdade. E esta é que é a verdade, meu adorado imbecil. NÃO EXISTE NOVIDADE. Abra bem as orelhas e ouça, tudo será como sempre foi, nada *nunca* mudou, tudo é igual, todas as coisas permanecem para todo o sempre, ah, vá à merda, você não aprende nunca, sabia que não devia ter lido meu horóscopo hoje. Nativo de Virgem, cuidado que seu filho está passando dos limites.

Tinha que dar um ponto final naquela história. Propp já tinha me enchido o saco com suas fábulas e tabelas que não saíam do lugar. O problema era *onde* pôr Norma. Agarrei Norma pelos cabelos, e cravei meu pau em sua boca. Pelo menos, era um jeito de ter paz. Com um pau na boca, pouca gente tem condições de dizer Bernardo.

2

Precisava voltar para a festa imediatamente, antes que dessem pela minha falta. Ninguém ia se arriscar a me dar um tiro no meio de um salão todo iluminado, diante de dezenas de testemunhas, entre elas algumas autoridades ligadas ao aparato de segurança do Estado. A festa era a única garantia de que ia chegar vivo no dia seguinte, minha única salvação. MAS ONDE ESTAVA O DIABO DA FESTA? Alguém tinha levado ela embora, e era a única coisa que eu tinha esta noite, essa coisa gasosa que eu já tinha visto se transformar em orgia, sacrifício, caçada, missa negra, funeral.

— Oi, tesão, e esse pau, continua durão?

Quando abri a porta e entrei no quarto iluminado e dei de cara com Norma, alguém ficou petrificado, Perseu sem espelho, olhos nos olhos da Medusa, eu, e eu, ou eu e eu, ou.

Lentamente, com um movimento tão lento como se uma pedra me pensasse, mas definitiva como a pedra, alguma luz se fez em mim.

Não, não se aproximem, não sei se era bem *uma luz*. Melhor dizendo, *era*. Mas como algo que pudesse ser uma luz de brinquedo, uma falsa luz, uma coisa repugnante que tinha tomado o lugar da verdadeira luz, aquela boa e velha luz que fazia com que nossos avós vissem as coisas como elas são, simples, claras, necessárias. Essa coisa que tomava o lugar da verdadeira luz teve um parto difícil em mim. Me recusei terminantemente a reconhecê-la como minha legítima luz, a que eu esperava, a luz de que eu estava grávido desde que eu disse eu, olhei em volta e vi que aquilo. E foi à pseudoluminosidade dessa luz de mentira que entendi tudo, ou quase.

ESTA FESTA E ESTA CASA É UMA MÁQUINA, UM MONSTRUOSO MECANISMO QUE SE TRANSFORMA E TRANSFORMA O REAL EM CERIMÔNIAS.

Era uma casa de espetáculos, e Norma a principal atração.

Me ajoelhei diante dela. Ela não perdeu tempo. Levantou o vestido, avançou aquela floresta de pelos, e pronunciou a sentença.

Depois, bem depois, várias vezes depois, deitados lado a lado, nus na imensa cama, perguntei, a primeira dúvida que pratiquei:

— Que foi aquilo que eu vi lá embaixo?

— O que é que você acha que viu?
— Você morta sendo velada.
— *Aquilo* não era eu, meu anjo, meu príncipe, meu herói.
— Então, quem?
— Agora, venha. Quero que você ponha uma roupa bem bonita. Vamos descer e anunciar nosso noivado.

3

Primeira coisa que vi, aquela manhã, diante do espelho, é que estavam me nascendo olhos, dois olhinhos, apertados que nem olho de japonês, um de cada lado do nariz. Mal nasceram e já começavam a enxergar tudo em volta, ainda piscando com a luz forte.

Eram azuis, eu acho, mas sob o efeito da luz foram escurecendo, verdes, castanhos, pretos. Quando ficaram bem pretos, saí à rua.

Agora, sim, vocês vão ver uma coisa.

Eu ainda era um rapaz em formação. E ainda podia escolher algumas coisas, o melhor ainda estava por vir. Escolhi ter um assim de uns 18 a 20 centímetros. Mas o que eu queria mesmo era ter mãos. Duas, de preferência. Dessas bem cheias de dedos.

Aí sim é que eu ia poder fazer *quase* tudo. Fuçar o nariz. Alisar a bunda delas. Dar murros em ponta de faca. E bater palmas para o passar do tempo, a única força no universo capaz de me tirar aquela mulher da cabeça. Isso, é claro, quando e *se* eu viesse, um dia, a ter a cabeça do pau maior que o cérebro.

CAPÍTULO 20

1

Com Norma Propp, fui muitas vezes até a casa de campo que o velho tinha, uma bosta de lugar, aquela velha chácara que deve ter sido próspera uns trinta anos atrás.

Agora, só não desmorona porque tem um casal de velhinhos que moram por ali por perto e de vez em quando vão lá tirar as teias de aranha, acender o fogo e dizer: meu deus, olha só como isso aqui está!

Nas muitas duas vezes que fui lá com Norma, ficamos, uma vez, uma tarde, na última, uma tarde e uma noite, só nós dois.

Na primeira tarde, Norma se comportou como se fosse minha irmã. Riu muito, me elogiou várias vezes, até me deu um beijo. Mas eu podia ver, ela estava nervosa, alegria elétrica demais para ser apenas isso.

Puxei o assunto várias vezes para nossa história. Mas ela sempre tinha alguma outra coisa para observar:

— Olha lá aquela cerca. Não parece um M deitado?

Tentei descobrir o que ela achava que era viver com alguém. Me mostrou a casca oca de uma cigarra que tinha apanhado no pessegueiro em frente da casa.

A segunda vez foi bem diferente.

2

Chegamos no topo da escada, Norma e eu, lá embaixo a nossos pés, a festa fervendo como uma fogueira.

Ninguém jamais desceu uma escada como Norma. Em sua descida, cada degrau era um triunfo, cada passo um orgasmo, cada momento um record. E assim descemos.

Todo mundo estava ali para ouvi-la cantar. Então ela, disse:

— Antes de cantar, quero anunciar meu noivado.

Na sala, leques voaram como pavões por entre um mar de murmúrios. Deve ter se gastado em um meio minuto todo o estoque de Ós que daria para abastecer uma língua indo-europeia por um ano.

3

A segunda vez foi *bem* diferente.

Norma nem me olhou pra cara. Ficava assim, olhando assim pra qualquer coisa, como se não estivesse nem ali, como se estivesse com saudades de um outro planeta.

— Pra que ter vindo se era pra ficar com essa cara?, perguntei.

— Ah, ela perguntava, pra lá de ausente, vinda do além.

Durante o jantar, a gente comeu em silêncio, eu, uma gota de ácido sulfúrico na superfície fosforescente dos cri--cris dos grilos.

De vez em quando, comentava:

— O macarrão passou do ponto.

E eu discordava:

— Não, acho que chover não vai.

De noite, me perguntou onde eu queria dormir. Com você, é claro, eu respondi. É por isso que eu adoro você, ela falou. Mas faz tua cama aí nesse canto, eu durmo aqui no sofá mesmo, legal pra você?

— Norma, que é que está acontecendo? Que história essa? Vamos conversar um pouco. Onde é que foi parar aquilo tudo que havia?

— Tudo aquilo, o quê?

— Ora, você sabe, não se faça de boba.

— Você deve estar louco. *Nunca* houve nada entre nós.

— Essa não, Norma. Invente outra.

— Se houve, prove.

Eu não podia provar nada. A única evidência que eu tinha de que TINHA HAVIDO ALGUMA COISA ENTRE NÓS, esse nó no peito, essa sensação de que tinham colocado uma rolha no gargalo do meu coração, e essa vontade de apertar seu pescoço devagarzinho até fazer o cérebro sair pelas orelhas que nem bosta num moedor de carne. Ou bater nela com um maço de notas de mil, até ouvir ela gritar Bernardo. Uma navalha, por favor.

4

— Vai mesmo casar com ela?
— Acho que sim, tudo foi tão súbito.
— Pena. Eu tinha uma coisa pra te dizer.
Ela suspirou.
— Os seres gasosos dos pantanais de Canopus acabam de ser atingidos pela ptyx, epidemia desconhecida, de origem extragaláctica. Os warhoos devem ter violado o tratado. Eu avisei, eu avisei!
— Qual tratado?
— O de nunca usar armas transfísicas.
— E o que é que isso tem a ver com meu casamento com Norma?
— Nada, se não tem importância pra você. De qualquer forma, você não vai poder mesmo casar com ela, não é mesmo?
— Por que não, qual é?
— Ora, você sabe. *Nós vimos*. Ela está morta.

5

Ao diabo com os seres gasosos de Canopus. Eu podia ser atingido por um tiro, a qualquer momento, a lembrança me atingiu com a velocidade de uma bala.

E voltei para lá, donde nunca deveria ter saído. A festa era minha segurança. E meu noivado com Norma. Não importa que meu nome não estivesse entre os convidados. Eu era a alma da festa.

6

— O narrador é um fantasma, ele mal-assombra as histórias, elas poderiam passar muito bem sem ele.

Elas, as histórias. Elas, palavras. Elas, as estrelas. Elas quem?

Para Propp, as histórias se faziam sozinhas, por geração espontânea, gracinha, sem precisar de intervenção humana. Chego a desconfiar que imaginasse, que existissem, platonicamente, num universo anterior, maior e superior ao nosso. E que se materializavam, seres gasosos dos pantanais de Canopus.

Só que com a filha dele não era bem assim. Nosso romance não ia pra frente, sem intervenção humana. Humana quer dizer *minha*. E, afinal de contas, o que queria dizer "ir para a frente"? Pode ser que lá na frente não tenha nada. Ou tinha?

CAPÍTULO 21

1

Belo começo para um candidato à sabedoria, nem sabia como conseguir o que os galos, os antílopes e até os polvos conseguem sem maiores histórias.

Insuportável, aliás, que a razão de ser da minha vida fosse outra pessoa, pessoa, por sinal, que eu estava longe de saber dominar, quem dera!, se, pelo menos, a influenciasse.

Uma pessoa que eu dizia:

— Vamos lá.

E ela respondia:

— Que pena.

Quem mandou ouvir conselhos de amigos, conhecidos e desconhecidos, que diziam maravilhas dos métodos de Propp? Quem mandou tomar nota do telefone do consultório. Quem mandou marcar um encontro (a palavra não era consulta). Quem mandou eu apertar a campainha da 27 de Setembro, 894.

Quem mandou? Socorro!

2

Vamos imaginar. Suponhamos que você tenha uma buceta no meio das pernas. Uma mera suposição, é claro. A menos que a enfermeira tenha exclamado — é uma menina! quando você nasceu, lembra ainda?, que memória, menina! se não for assim, suponhamos que *você* tenha uma buceta no meio das pernas.

Como é que você acha que pensa a cabeça de alguém que tem uma no meio das pernas? Não vale dizer, como minha mãe, que essa fixação em mãe e Nova York é coisa de viado. Como é que você acha que pensa? Como quem?, como é que é mesmo?, terei ouvido certo?, terei ouvido duzentos mil?, duzentos e cinquenta, duzentos e sessenta? Terei ouvido alguém dizer Norma Propp?

3

Propp dizia que não há profetas nas histórias de deslumbramento.

Seria intolerável, os esquemas rejeitariam imediatamente um personagem que aparecesse contando *o que vai acontecer* mais adiante. Seria negar toda a lógica da narrativa.

Por isso, nas histórias de deslumbramento, todo profeta é crucificado assim que se manifesta. A morte desse profeta alcaguete está catalogada como a função alfa-37, depois da macrofunção, "Herói Enfrenta o Monstro". Lembro que Propp ria muito quando falava dessa função. Ele lembrava do professor Freud, ele ria, ria, lembrando que Freud tinha dito que essa função era apenas a projeção do pasmo infantil do menino, quando constatava que o pau do pai era maior que o seu. Um dia, confessei:

— Professor, não aguento mais estes ímpetos de profetizar.

— É comum nesse período. Para resistir pense no efeito que você vai causar, se não antecipar nenhum momento da história. Você *tem* que chegar até a função gama-42.

Através de uma argumentação toda equipada de citações, Propp tinha me provado que o percurso da minha vida já tinha satisfeito todos os primeiros estágios da sua lista de funções dos personagens.

Saúde era perfazer *todo* o percurso do Herói.

Mal sabia ele que... bem, mas tem uma coisa sobre qual eu nem quero pensar.

4

Num caso, Propp admitia a existência de profetas nos contos de deslumbramento. A função dzeta-43, a do falso profeta, aquele que só profetiza um evento para que os presentes imaginem que ele está pensando o contrário, e assim ele pensa o óbvio, e assim ele faz completamente diverso, se é que isso faz algum sentido.

Propp previu que ia precisar de mais uns cinco anos para aprofundar a função desse personagem. Mau profeta, morreu antes.

Em suas histórias, não havia modo de interromper a lógica que conduzia até o invariavelmente irremediável final.

CAPÍTULO 22

1

Nenhuma vaga para ela na lista dos personagens de Propp, chance alguma.

No máximo, quem sabe coadjuvante na função ômicron-7. Só que essa função, além de não constar na lista, não era a que Mai queria preencher na minha vida.

Norma, não havia jeito de eu conseguir que ela notasse a presença de Mai. E como? Na minha vida, Mai era algo assim como uma mancha de água mineral num lençol branco.

— Bem, se você não quer, eu tenho um outro encontro.
— *Outro* encontro? Você?

2

Um dia, sonhei que alguém me obrigava a ler uma lista de endereços e telefones. Ao acordar, lembrei que era algo assim:

Rua 27 de Setembro, 894, 234-4594
Rua 28 de Setembro, 895, 234-4595
Rua 29 de Setembro, 896, 234-4596
Rua 30 de Setembro, 897, 234-4597
Rua 31 de Setembro, 898, 234-4598

Era o endereço do consultório de Propp. Era o número da buceta de Norma. Era demais.

3

Maior parte do tempo estão dizendo mais, *muito mais* do que a gente gostaria que estivessem, como se sobrassem como se quisessem viver uma vida maior do que a coisa que pretendemos para elas. *Como se soubessem.* Cuidado com as palavras, isso tudo é pra dizer que nunca, cuidado com as palavras, a primeira coisa que você tinha que saber antes de entrar numa com Norma. Tinha herdado do pai, a bandida, aquele dom de enxergar brasílias submersas debaixo de cada frase, quanto mais inocente a cara, mais suspeita. De modo que o que você dizia não era bem o que você dizia. Pelo menos, não era bem assim. Era como se você sempre estivesse *ligeiramente fora de foco*, aquele ar ridículo de fotografia mal tirada, vocês sabem.

4

— Você não deixar as diferenças existir!
— Existir, não, professor. *Existirem.*

— Está bem. Não deixar as diferenças existirem!
— Não, professor, ainda não. Não *deixa* as diferenças existirem.
— VOCÊ NÃO DEIXA AS DIFERENÇAS EXISTIREM!

E era ele que não deixar as diferenças existir. Ou existirem. Como Norma achar melhor.

CAPÍTULO 23

1

Agora só tem pra frente. Olhou pra trás, vira estátua de sal que nem a mulher de Lot. O que passou, passou, não deixe que Perseu vire pedra no olhar da Medusa. Nem pergunte por quê, só iria estragar tudo entre nós. Com o tempo e muita Norma Propp, conseguia tirar a festa da cabeça, esquecia até o casamento que estava marcado. Esqueci completamente aquela casa monstruosa, onde todas as coisas reais sempre acabavam se transformando em cerimônias. Em ruínas da realidade.

2

— Cuidado, filho, Propp me alertou. Você está saindo da parte preparatória. Já está além da função gama-1, a proibição. Já passou pela transgressão da proibição, a função delta-3. Agora está ingressando na zona A, a Região do Dano. De agora em diante, todo cuidado é pouco. Mas pode confiar que vamos fazer tudo que estiver a nosso alcance para que ultrapasse essa área com um mínimo de escoriações.

3

Parecia que nada ia adiante. TUDO TINHA MUDADO, está certo. Mas tudo só mudava *do parado para o parado*. Minha relação com Norma passava meses sem que acontecesse nada. Não era o pior dos nadas, podia haver piores. A gente se via, até fizemos algumas coisas, mas nada podia disfarçar aquele cheiro de queimado, a gente cultivando aquela falta entre nós, duas pessoas cuidando juntas da mesma planta carnívora.

4

— O caixão está vazio, bobinho, ela sussurrou. Se você quiser, vamos lá ver.
Cada um se vestiu como pôde, e lá fomos descendo escadas no escuro até a cena do velório. Não tinha ninguém. A única pessoa que tinha era uma velha dormindo, de maneira que *realmente* não tinha ninguém. Chegamos até o caixão. Lá estava, lá dentro, aquela puta mulher, que cantava pra caralho, e com a qual eu sabia que, cedo ou tarde, ia ter que me casar.

5

Ficava muito bem como cadáver. Não era como esses mortos que ainda não assumiram, e ainda guardam aquela expressão de um vivo que foi surpreendido pelo apito do juiz marcando o final do segundo tempo.

Difícil encontrar cadáver mais convicto. Ela não estava morta. Estava ali, na fronteira entre dois mundos, quase sorrindo, no sorriso, quase dizendo, meu deus, ninguém imaginava que era tão fácil!

6

Para uma noite, era função de Propp demais pro cu de um só. E minha alma de astrônomo não tinha motor de caminhão. A próxima emoção que viesse ia ter que dormir no corredor, está certo que eu sou o herói, mas assim também já é demais. Vai ser herói assim na puta que o pariu. Por falar nisso, adivinhem quem eu vi ontem? Dou-lhe uma, dou-lhe duas, dou-lhe Norma Propp, se você adivinhar. Também não sei o que você vai fazer com ela. *Eu* nunca soube.

Um dia, ela me disse:

— Acho você um cara muito vazio, sabe?

Olhei para mim, a luz me atravessava como se eu fosse apenas o actante de uma das funções. E eu queria ser real, ah, como eu queria ser real para que Norma me tocasse, me apalpasse, apertasse meu bíceps esquerdo e dissesse, que muque!

Daí eu diria:

— Você ainda não viu nada.

E ela:

— Também, você não me mostra.

E, quando visse, ia querer e ia ganhar, e ia ganhar Norma, porque o caminho para o coração das mulheres entra por baixo, isso nem precisava ter atingido a sabedoria para perceber.

7

Naquele tempo, a gente mudava muito. Os preços dos aluguéis viviam subindo, passavam do limite do orçamento, e a gente mudava, sempre para um lugar pior, mais longe, mais apertado e mais cheio de maridos espancando a mulher e crianças chutando os cachorros.

E assim lá ia eu para a minha quinta mudança em um ano e meio.

Norma ficou de me ajudar. Não era muita coisa, a tralha de sempre de um estudante solteiro, livros, apostilas, discos, revistinhas de sacanagem, os pôsteres de Guevara e Hendrix, as peças de um sonho que a gente ia remontar num novo tabuleiro.

Naquele tempo, sempre ia acontecer alguma coisa. Jesus ia voltar. A bomba ia cair. O preço da vodca ia subir. O telefone ia tocar. Ia, ia, ia.

Norma veio, mas veio tarde. Quando ela chegou, a caminhonete já tinha levado tudo (tudo?) para o novo endereço.

Só restava a cama e o colchão, no canto de um quarto vazio. Pelas paredes, a ausência dos pôsteres fazia marcas de sol, buracos negros por onde eu podia meter a mão e (ai!) apalpar meus machucados.

Não consigo distinguir aquela sensação de quando a gente muda de casa da emoção de estar ali sentado na cama de mãos dadas com Norma.

— Não tenho sido legal com você, não é?

— Um pouco.

— Você tem que entender. Eu não sei o que é. Talvez alguma coisa. Mas tenho certeza que um dia. Afinal. Não é mesmo?

Eu disse, claro. E Norma levantou, e começou a falar como seria bom ter um quarto maior, com uma janela maior, nem perdeu a oportunidade de fantasiar uma varanda, explodindo em gaiolas de passarinho nas manhãs de sol.

Naquele ano, parecia que todo mundo tinha enlouquecido. Como se algum cometa estivesse pra chegar.

Quem nunca rezou, estava fazendo novena. Materialistas apareciam usando contas de Oxalá. Quem nunca roubou um palito de fósforo, estava dando desfalque em banco. Os filhos estavam virando pais, aos milhares, e os pais e mães mijavam nas fraldas e pediam colo.

Aquele ano, vocês sabem.

CAPÍTULO 24

1

Dei o braço a Norma e descemos a escada com a elegância que uma pedra de gelo exige para voltar a ser água.

Descemos a escada toda, sob pesado bombardeio de aplausos. Pensei que ia morrer de tanto amor, Norma estava divina. E se distribuiu pela sala, como se fosse um saco de moedas repartidas entre os pobres.

O mordomo se aproximou, com o que mesmo na mão?

Me adiantei.

— Já sei, já sei, telefone pra mim.

Ele foi gentil, já que era pago para isso.

— Não sei como o senhor adivinhou.

2

Era um papo comprido sobre os warhoos e os seres gasosos dos pantanais de Canopus, que eu já não tinha mais saco pra aguentar. Que se fodam os quartzos de Randôri, os burlemarx de noigandres, os odradex de Íon. Tinha mais a fazer que ficar escutando os despropósitos de uma birutinha, que rondava a festa como uma fera esperando a vítima acabar de morrer.

3

Por que é que não tive uma irmã? Por que é que cresci com alguém que acordava se olhando no espelho, pintando os olhos, ajeitando o cabelo, mordendo os lábios até ficarem em brasa como uma maçã madura?

Agora era tarde. Já estávamos na função lambda.

4

Recompondo a cena do crime. Eu estava ali com o telefone em uma mão e a faca na outra. A vítima flutuava numa poça de sangue. O pescoço tinha recebido um corte de orelha a orelha, que deixava à mostra as cordas vocais, onde um dó maior com quinta aumentada ainda vibrava ao vento.

O inspetor perguntou:

— Quantas testemunhas?

Os criados em coro:

— Todos nós, senhor.

E para mim:

— O senhor quer ter a bondade de me entregar essa faca ensanguentada?

— Ora, inspetor, esta faca está toda suja do sangue desta moça. Deixe eu apanhar uma limpinha para o senhor.

— Não, eu adoro facas ensanguentadas. Fico com essa aí mesmo.

Ah, Norma Propp, se você soubesse *tudo* o que eu sinto por você.

5

— Se alguém tem alguma coisa a dizer contra este casamento, fale agora ou cale-se para sempre.

E todos realizaram aquele nosso mais fundo desejo infantil.

Um gritou:

— Eu tenho, reverendo! Essa mulher é uma vagabunda!

— Ela trepou com o noivo antes do casamento!

— Ela já é casada!

— Ela tem um amante!

— Ela cobra um absurdo pra chupar um pau!

Foi com muita fleugma que virei a cabeça para olhar a massa dos fiéis, donde saíam aquelas vozes.

Nisso, uma voz gritou:

— Esse cara é viado!

— A mãe dele está na zona!

— Vi ele de sacanagem com a menininha lá fora!

— Ele tem filho com tudo quanto é mulher!

Enquanto diziam aquelas coisas da minha noiva, eu ainda podia tolerar. Mas essa súbita mudança da fortuna, desviando a artilharia de impropérios para cima da minha pessoa, era intolerável. Localizei o cara, e gritei, que ecoou na igreja toda:

— Viado é a puta que o pariu!

E parti pra cima. Enfiei a aliança no mindinho da mão direita, e já cheguei batendo. A primeira porrada com a aliança acertou em cima do olho direito, e espirrou sangue. O filho do cara me agarrou por trás, e eu fiz ele ajoelhar contrito com uma cotovelada no saco.

O padre pulou como um tigre, e gritou para o sacristão:

— Protege o Santíssimo, o cibório, o ostensório, o turíbulo, o cálice e a patena, que eu vou mostrar a esses filhos da puta o que acontece pra quem não respeita a Casa do Senhor.

Arregaçou a batina, e veio com tudo. Não deu para eu me virar a tempo, e o homem de Deus me acertou um pontapé nos rins, que doeu que nem um gole de gim puro em jejum. Rolei no meio das pernas de umas velhas, que caíram para trás, o primeiro banco derrubou o segundo, que derrubou o terceiro, e assim até a entrada da igreja, como se fossem pedras de dominó.

Do alto do púlpito, o sacristão bombardeava a balbúrdia com hóstias, galhetas de vinho, mitras episcopais, versos em latim, gritando sem parar:

— Mas que diabo de casamento é esse?

6

Telefone grudado na orelha pra abafar a algazarra da festa, perguntei, de saco cheio:

— E daí?, que foi que os seres gasosos dos pantanais de Canopus fizeram?

7

— Vamos brincar de futuro?

Só me faltava mais essa. Bem agora que já estava quase na porta de Norma, me aparece, bem, vocês sabem quem.

Produzi a cara mais puta da vida que eu tinha no estoque de caras para essas horas quando uma garotinha pentelha chega pra você e diz:

— Vamos brincar de futuro?

Contei 1, 2, 3, 4, 5, 6, 7, 8, 9, 1 de novo, 2, e disse:

— Puxa, como é que você adivinhou? Eu *adoro* brincar de futuro. Como é que é?

— É assim, ela disse. Imagine por exemplo que você está casado com Norma.

— Sim, eu disse, estou casado com Norma. E daí?

— Suponha que ela engane você.

— Olhe aqui, garotinha, eu.

— Espere. Suponha.

— Ela *nunca* me enganaria.

— Aí é que você se engana.

— Como assim?

— Você nunca notou, imbecil, ela não existe, nem *nunca existiu*?

8

Antes da matéria, existia uma coisa antes da matéria, antes da memória, assim como antes de todas as histórias sempre existe uma história. Difícil comparar a matéria com o que existia antes, *impossível* comparar esta história com as histórias que existiram antes.

Gasosa, líquida, sólida, a matéria é muito pobre de estados em comparação com o que existia antes. O que existia antes era, ao mesmo tempo, muito mais simples e muito mais complicado, se é que me exprimo bem. Afinal, as histórias de antes também eram mais simples e mais complicadas.

Mas sobre *a coisa* que existia antes da matéria, não ficaram histórias.

Essa menina precisava levar umas palmadas.

CAPÍTULO 25

1

— Norma ressuscitou!
— Ela voltou à vida!
— Viva a vida!

No caixão, Norma abriu os olhos, olhou em volta, e se ergueu derramando flores por todos os lados. E nua como estava, os peitões à mostra, sentada no caixão, começou a cantar e a gente deglutindo, vidrados. Vários dos presentes tiraram o pau pra fora, e começaram a se masturbar como se a vida fosse terminar ali. Nem faltou que algumas senhoras levassem a mão ao grelo, e começassem a acariciar o botão do amor, revirando os olhos, enquanto o carrossel das melodias subia e descia, fluindo da boca de Norma, ondas de luz quebrando nas praias da alma de todo mundo. Até um sujeito meio vazio que nem eu sentia vontade de ir para o céu, se é que já não estava lá, quando ouvia Norma, naquilo:

Cold,
No, I wont believe your heart is cold,

Maybe he is just afraid
To be broken again...

O dono da casa bateu palmas e gritou:
— Bravo! Bravíssimo!, e se virou para todo mundo.
— Isso merece uma comemoração. Que tal se a gente desse uma festa para Norma? Vamos comemorar a volta de Norma, pessoal.
Um dos parasitas presentes se virou para a mulher disse:
— Sabe, querida, que é uma boa ideia? Como é que a gente não pensou nisso antes?
— Um dia antes, ela falou.
Pensei comigo:
— Pronto. É agora que essa porra dessa festa não vai terminar nunca.

2

Um dia, o pai de Norma me chamou no consultório. Depois de muitas histórias, deu a entender, tinha uma confissão a fazer. Era um segredo terrível, ele o arrastava há anos como uma bola de ferro nos pés.
— Ora, professor, eu disse. Entre nós, *não existem segredos*. Por acaso não lhe contei daquela vez em que entrei debaixo das cobertas e fiquei brincando com o pau do meu pai? E aquela outra em que vesti o robe de chambre da minha mãe, pintei os lábios e fui para a frente do espelho me masturbar? E o prazer que eu sentia quando era menino em jogar sapos vivos nas brasas de uma fogueira só para vê--los inchar, virar uma bola e explodir, enquanto eu aplaudia

e gritava, bis, bis, bravo, bravíssimo! E vai me dizer que o senhor não conhece o conteúdo verdadeiro das minhas relações com a fotografia de Odete Antunes? E tudo aquilo que lhe contei sobre a minha primeira relação com uma mulher, aquela que estava menstruada, lembra?, e eu tirei o pau e pensei que a tinha matado? O senhor não pode esquecer tudo o que houve entre nós. Não seja assim, professor. Seja bonzinho, e me conte tudo, timtim por timtim.

Nessas alturas, o professor, comovido, já estava deitado no meu colo, soluçando, e eu fiquei alisando seus poucos cabelos brancos, e dizendo:

— Calma, calma, meu velho. Tudo vai se arranjar, você vai ver. A vida não é tão péssima assim, veja tudo com olhos de criança, pense positivo, o pior já passou, o Natal está aí, e o amor até existe.

Quanto mais eu falava, mais o velho soluçava no meu colo, soluçava tão convulsivamente que, temendo alguma fratura grave, levantei um joelho, no joelho levantando a cabeça de Propp, como quem retira uma azeitona de dentro de uma sopa. E espinafrei:

— Qual é, cara? Vai ficar nessa a noite toda? Pensando o quê? Que meu colo é banco de praça?

O professor se recompôs. Secou os olhos, puxou o lenço, enxugou os óculos, levantou o peito, olhou para fora, pigarreou, suspirou fundo e proclamou:

— A minha teoria *não é minha*.

Aquilo me fulminou como um raio, como se Norma tivesse mordido a cabeça do meu pau.

— Não é sua?, perguntei, indignado, sacudindo o velho pelos colarinhos. Mas então você me bota nessa fria, me mete nessa história, me faz comer o pão que o diabo amassou, joga dragões na minha frente, me introduz e me tira de festas cheias de meninas birutas, mulheres que morrem, bacanais que não acontecem, me obriga a encarar esses enredos de filmes de terror classe C, e agora vem você, e me diz que *a teoria não é sua*?

Enquanto eu dizia tudo isso, percutia o velho professor na muralha de coleções encadernadas, que batiam continência em sua estante.

A inspiração passou, e eu larguei ele como quem desiste de uma ideia.

— Não é minha, ele confessou, quase ganindo. Quem a formulou era um velho professor russo, maníaco por folclore, ele pegava as histórias populares, as fábulas e as anedotas, e as reduzia a funções num jogo algébrico, que era sempre o mesmo, e que dava sempre na mesma. Li seu livro, que passou despercebido na época porque, você sabe, naquela época, as pessoas estavam muito preocupadas em viver para prestar atenção nos problemas das histórias. Jung, Ferenczi, Adler, Reich, todos os meus colegas tinham suas próprias teorias, variantes dignas do pensamento do mestre. Só eu não tinha. Todo o esforço que eu fazia nessa direção redundava em fracasso. Para mim, o dentro do homem era uma doença incurável. A subjetividade, uma ilusão de ótica e de acústica. A alma apenas o subproduto de uma pessoa ficar sozinha. Para mim, não tinha *nada* lá dentro, entende? Como é que eu ia, imagine como é que eu ia conseguir criar algum saber sobre alguma coisa que eu nem tinha certeza que sequer, talvez existisse? E, de repente, ali estavam os esquemas, suas lógicas indiscutíveis, suas álgebras impecáveis. Me apossei daquilo e transformei suas teorias na minha. Nessa em que *você* está, meu filho.

Sacudi o velho e perguntei, frenético:

— Qual era o nome dele? O nome dele!

— Meu filho, será que você nunca aprende mesmo? Evidente que o nome é Vladímir Propp, às suas ordens, para ser preciso.

3

Os warhoos não eram tão aqueles quanto eu imaginava. Não é que os idiotas em vez de concentrar todo o seu esforço na criação de oms, não, os imbecis preferiram entnong com os seres gasosos de Canopus. Ela me contou tudo, tudinho, miríades de palinuros já tinham esclumps tronx, até que os ninurt mestrinquem gagindas. *Não podia ser pior.*

CAPÍTULO 26

1

— Falou de novo no assunto.
— Quem falou?
— Ele.

Quando Norma dizia *ele* daquele jeito, eu já sabia, lá vinha algum bernardo dar aqueles nozinhos apertados no meu sistema nervoso. Eu, todo travado, as palavras tropeçando na boca, os pensamentos se embrulhando na cabeça que nem indigestão.

— Ele falou?, eu não sabia que ele falava, quero dizer, Que ótimo, *você* falou alguma coisa?
— O que é que eu podia?

O que é que Norma podia ter dito? Insuportável nas normas desta vida é que elas não tenham uma tela de TV na testa para a gente poder ver o que está comprando, tudo o que Norma me dissesse já era uma interpretação, uma seleção olímpica de frases e palavras militarmente escolhidas para provocar determinado efeito sobre mim.

O que eu queria era uma fita gravada *da conversa toda*, com seus ahhhs, seus uhnnns, seus sussurros e meios-tons, na íntegra.

Só havia um jeito de eu conseguir isso. *Virar Bernardo*.

2

— Tem uma coisa que eu não te contei ainda.

Tiro de carabina na minha orelha esquerda, facada nos rins, soco de enfarte, agulha de derrame cerebral, bem-vindos! Por que é que Norma tinha que vir, de vez em quando, com aquele, com aquela, com aquilo, *tem uma coisa que eu não te contei ainda*? Vai ver era por isso que eu vivia com aquela sensação pavorosa de que alguma coisa horrível ia acontecer a qualquer momento.

Às vezes até que não era tão terrível assim. Norma não tinha estado num lugar onde tinha dito que tinha estado, por exemplo, era o caso mais comum. Eu já sabia que a história ia estar cheia de bernardos como pulgas num cachorro de rua. Eu levava apenas o tempo que uma puta leva para escolher seu nome de guerra, e repetia:

— Sabe muito bem que não me deve satisfações.

— Sempre esqueço, ela falava.

A merda é que aquilo de ela me prestar conta dos seus atos, como *se me devesse satisfações*, começou a criar em mim uma preocupação por ela, que eu preferiria não sentir.

— Norma, por favor, eu dizia. Não me conte mais nada. Eu *não quero saber*.

— É só pra você me conhecer melhor. Mas eu não significo nada pra você, não é mesmo?

— Norma, você sabe que não é isso. Você significa tanto.

— Só sei o que eu vejo.

E olhava através de mim como se eu fosse feito de vidro, eu, que era seu espelho de estimação, a menos, é claro, que algum Bernardo tivesse uma outra história para contar.

3

— A fantasia erótica é a origem da ficção. E contar um sonho foi a primeira modalidade de fábula, o protogesto que fundou todo o fabular. Ou seria um efeito de brincar demais com bonecas, na primeira infância?

Quando Propp começava com esses papos, eu não tinha dúvida, desligava a máquina e ficava projetando tudo o que eu ia fazer com Norma no próximo capítulo.

4

Segundo Propp, depois do Dano, vem a carência do herói. Ainda bem que não era ele que, bem, todo mundo sabe. Mas tem uma coisa sobre a qual eu não quero. De jeito nenhum.

O que eu precisava mesmo era voltar para aquela festa, com chuva ou sem. Lá pelo menos tinha alguma coisa pra dizer. Nem que fosse:

— Tem fogo?

Norma olhou pra mim com aquele ar que a gente faz quando vira o rosto em direção ao vento, farejando cheiro de queimado.

E mandou contra o vento:

Cold,
No, I wont believe your heart is cold.

Lindo, mas não era o que eu queria aquela hora. O que eu buscava tateando no escuro com dez mil dedos era um botão para apertar e mandar Norma, todas as normas, pelos ares, que era seu lugar.

5

Ninguém mais aguentava os papos sobre aqueles seres gasosos que, tomara, já deveriam ter dizimado de tédio todos os warhoos.
Ninguém mais, no caso, era eu mesmo.

CAPÍTULO 27

1

Misturando bem todas as cartas, talvez desse uma coisa parecida com isso que se combinou chamar de vida. Só ia ficar faltando *vida*, é claro. Mas a dita tem formas estranhas de se manifestar. Afinal, que é que uma Augustifólia Permanens Praguensis, um bacilo, uma cascavel, um golfinho, o que é que essas coisas têm que os esquemas de Propp não tinham?

O que é que *eu* tinha?

Dramático como um autômato se ajoelhando diante da última plantinha, Propp não quis nem saber:

— Você não tem nada. *Ninguém* tem nada. É tudo um mal sem cura. Um mau negócio, muitos prejuízos, alguns lucros no começo, alguns lucros no final, talvez. O dinheiro? A mulher? A glória? O poder? Quem sabe.

Olhei para ele, a idade escrita no corpo. Ele tinha razão. Mas *eu também tinha*.

2

Depois de um tempo em que a gente se entendeu às mil Maravilhas, um e o outro estava começando a virar estranho de novo.

Várias vezes, quando a gente se encontrou, eu sabia que ela sabia e ela sabia que eu sabia que estávamos procurando um jeito para sufocar uma coisa que nem bem tinha começado. Um rapaz a caminho da sabedoria, como eu, tinha que ficar atento aos mínimos detalhes. Às vezes me parecia tão difícil quanto amar *duas mulheres* ao mesmo tempo. Dizem que as mulheres conseguem amar mais de um homem ao mesmo tempo. Afinal, uma mãe não ama com o mesmo amor dois, três, cinco, dez filhos, saídos da sua barriga?

Acho que falei essas coisas, e disse algo como:

— Você é uma figura estranha, sabia?

— Nem todo mundo acha, ela respondeu, apanhando suas roupas, espalhadas por todo o chão do quarto, misturadas que estavam com as minhas.

3

Lembro dessa época com muita nitidez. A escada de madeira rangendo, enquanto eu subia e descia do consultório. A lâmpada verde em cima da mesinha de Norma. O cheiro de éter e livros velhos que emanava do professor Propp, embora não tivesse éter no consultório e as lombadas das suas coleções de livros luzissem como uniformes de oficiais em dia de parada.

Mas nunca fui bom observador de detalhes. Não era pra menos que continuava sendo o aluno mais fraco da turma de astronomia. O que eu lembrava mais dessa época eram os sentimentos que eu temia, coisas que tinham nome. Ciúme, inveja, paixão, teimosia, receio. As coisas que eu sinto *hoje* estão além das palavras. E tenho saudade daqueles sentimentos tão precisos que eu podia transformá-los em deuses, em pequenos ídolos, com seu templo, sua liturgia, seus momentos sagrados.

Isso passa, felizmente. E a gente sempre volta à perplexidade inicial, donde nunca deveríamos ter saído, eu acho, melhor, tenho certeza.

4

Numa festa como aquela eu não precisava de coisa alguma, muito menos de encontrar o professor Propp, conversando, como se fosse três, numa roda, com um copo de uísque na mão, ele que nunca bebia.

Num primeiro instante, julguei estar sendo vítima de uma alucinação. Firmei os olhos, e não havia dúvidas. Era *ele mesmo*. Me aproximei, meio de lado, pedindo licença e trocando amenidades monossilábicas com aqueles ilustres obstáculos que me separavam do professor. Enfiei a cabeça na roda, me acomodei entre um velho magro que ria, balançando a barriga, e um rapaz gordo que escutava, os olhos quase caindo das órbitas.

Foi quando eu disse:

— Professor!, o senhor aqui?

— Perdão?, ele perguntou.

— Que bom o senhor aqui.
— Desculpe a pergunta, cavalheiro, ele falou. Mas nós já nos vimos antes?

5

— Tá bem. Quero conhecer o Bernardo.
Ela parou, um passo em minha frente.
— Sério? Não sei se você vai gostar. Vocês são *tão* diferentes.
— Escute aqui, Norma. Não sei o que você sente por mim, mas isso não te dá o direito de me fazer de palhaço. Ou você me apresenta esse cara, ou então a gente não se vê mais, está bem pra você?
— Já que você insiste.
Nas semanas que se seguiram, a gente continuou se vendo. Uma vez até que foi bem legal. Como antigamente. Em outras, teve momentos de botar na garrafa térmica, para ter no dia seguinte, e no outro, e no outro. Mas nada do tal Bernardo. E eu me sentindo naquela de quem telefona, e de duas, uma, ou ninguém atende, ou está ocupado. Tinha ido não sei pra onde. Estava fazendo não sei o quê. Coitado, quem mandou ter uma mãe como aquela. Já te falei da mãe dele? Paga todas as contas dele, nunca trabalhou, você sabia?
Perdi a paciência.
— Olha aqui, Norma, eu não sou criança. Essa tua história já está começando a me encher o saco.
E estava mesmo. Norma marcava um encontro entre nós três, ou nós quatro, contando com uma vaga noiva que

ele parecia ter. E não acontecia nada. Mais desculpas. Mais não deu. Mais Bernardo.

Resolvi agir por conta própria. Um dia, cheguei mais cedo no consultório, a porta não estava trancada, como eu sabia, entrei e fui direto para a gaveta da mesa de Norma. Peguei o caderno de endereços, e desfilou diante dos meus olhos aquele absurdo exército de nomes e sobrenomes da agenda de qualquer pessoa estranha. Alguns eu conhecia, clientes de Propp, como aquele biruta que achava que o Pentágono tinha implantado uma minibomba atômica na base do seu cérebro e que, se ele dissesse uma determinada palavra, as ondas das vogais e das consoantes iam fazer a bomba explodir, dando início à solução final do problema da existência humana. Bem, essas coisas.

Li e reli aquela agenda, como um crente lê a Bíblia. De A a Z, de trás pra frente. E *nenhum Bernardo*.

Não precisava inventar nenhum Bernardo. A gente, realmente, tinha muita coisa em comum. A gente *não existia*, por exemplo.

CAPÍTULO 28

1

Do alto da pirâmide dos quarenta séculos da minha superioridade militar, fulminei:

— Olha aqui, Norma. Por que é que você não vai etc., etc., etc.?

— É o que *você* quer?

— Não, e você?

Ficou perdida, e era a minha primeira grande vitória. Não sabia que eu tinha vasculhado sua agenda de telefones e endereços, *não havia nenhum Bernardo*.

De repente, aquele frio na espinha, subindo como o mercúrio no termômetro:

— E se ele *não tivesse* endereço nem telefone?

Absurdo, pensei de volta, como se eu tentasse sublinhar uma palavra *antes de ela ser escrita*. Puro absurdo, pessoas sem endereço nem telefone nã*o existem*. Mas, e se existissem, se teimassem em existir? E se Bernardo fosse uma delas? E se Norma me levasse a sério, e fosse embora com ele? O que eu tinha não era muito, era apenas *tudo* o que eu tinha.

2

Lá fora, um maníaco, louco para acertar um tiro bem aqui na minha cabeça.

A festa era minha única segurança. Daqui não saio, daqui ninguém me tira, refleti, pescando um morango daquela enorme taça de nata. Quase cuspi, quando senti o gosto de podre. A educação me deteve, e eu engoli. Bem a tempo, o mordomo já estava ali do lado, servindo o maldito telefone dizendo você, você, você. Você, no caso, claro, era eu.

— Diga que eu não estou, melhor, diga que eu não sou isto é, aliás, vamos parar de bobagem, diz logo que eu, digamos, por exemplo, estou numa reunião, pronto. Anote o recado e mande ligar depois.

Depois, por favor. *Tudo* vai ficar para depois.

3

Minha vida sexual se resumia em peidar na cama e tomar banhos que duravam uma hora e meia.

Nessas épocas, meu ciúme piora. Era como se eu culpasse Norma pelo peso do desejo dentro de mim. Aliás, não sei bem se era ciúme, quem é que sabe, com certeza? Mas, se não era, o que é que poderia? E meu, digamos assim, na falta de algum termo mais sangrento, escolhia formas aberrantes de se manifestar, e me infernar a vida.

Tinha vez que aparecia na fúria de uma palavra, um talvez qualquer, onde eu sentia, num relâmpago, a presença do inimigo, a passagem do perigo, aquela sombra na parede podia, bem que podia ser ele, um dos seres gasosos dos pantanais de Canopus tinha furado a barreira de antimatéria e os contracorpos dos warhoos, eu warhoo, sabia.

Norma cultivava meu desassossego com aqueles desvelos de jardineiro oriental, arrancava essa muda daqui, plantava ali adiante, trocava a terra e regava, uma verdadeira mãe, todas aquelas plantas carnívoras que viviam de bicar meu coração.

Então, com uma precisão micrométrica, Norma sempre dizia a palavra errada.

Digamos um vocábulo qualquer, uma palavra comum, uma palavra qualquer de oito letras, uma como Bernardo, por exemplo. Escolhi essa, é claro, como podia ter escolhido qualquer outra, estão me entendendo? Claro que eu podia ter escolhido outra, afinal de contas, as palavras são tantas, tantas, tantas, Normas, Márcias, Vilmas, Kátias, Célias, Lúcias, várias. E não tem força no céu nem na terra que nos impeça de inventar todas as que a gente bem entender.

O pior é que essa palavra, quero dizer, qualquer uma dessas me botava num estado, bem, digamos assim, entre o ódio e uma outra coisa que, daí, sim, não encontro palavras para dizer. Mas, enfim, quem foi que disse que *palavras* são tudo na vida?

Esse meio pânico se confundia com o desejo. E meu pau ficava duro de ódio.

CAPÍTULO 29

1

— Boa noite, senhores.

— Boa noite, professor, respondemos em coro, e Propp foi até o quadro-negro, a mão cheia de pedaços de giz, e começou a encher o quadro de letras, números e sinais algébricos, até formar uma bela equação, que brilhou na noite, a constelação de Erídano numa madrugada de verão. As mãos de Propp tremiam enquanto ele escrevia. Apagou umas letras, pôs outras no lugar, até que deu um passo para trás, e ficou contemplando a obra. Virou-se para nós, com solenidade episcopal, limpou o giz das mãos no lenço, bafejou nos óculos, esfregou-os no paletó e anunciou, com a simplicidade com que diria "não quero que minha filha se case com você":

— Senhores, hoje à noite, quero lhes comunicar, em primeiríssima mão, minha mais sensacional e recente descoberta, que representa anos de trabalhos, estudos e pesquisas.

Avançou um passo, estendeu o braço para o quadro com a exuberante equação, e não deixou por menos:

— Senhores, aqui está o segredo da vida eterna.

Nem me perguntem como foi que aquilo tudo foi se transformando nessa cena ridícula, todo mundo sentadinho, alunos silenciosos do professor.

Propp falou, deu aquele branco, e todo mundo começou a cochichar. O professor tolerou os cochichos com a paciência de uma estrela esperando os aplausos acabarem.

Então, perguntou:

— Quem está interessado na vida eterna?

A sala começou a gritar, e levantar o braço:

— Eu! Eu!

— Quero duas! Uma pra mim, outra pro meu pai!

— Vida eterna! Vida eterna!

Propp começou a conferir os braços levantados, todos, menos um, apontavam para o teto.

— O senhor aí, ele falou. Por que não levanta o braço?

— É que é o seguinte, professor. O senhor sabe como é, o senhor vai me desculpar, mas eu não estou interessado numa vida eterna.

Durante o agudo segundo de silêncio que se seguiu, senti de novo aquele cheiro de queimado, agulha de acupuntura entrando na minha narina até o cérebro.

Propp falou para a turma:

— Aqui temos, senhores, o caso curioso de alguém que *não quer* a vida eterna.

E ironizou:

— Será que o senhor poderia dizer pra nós todos o que é que o senhor tem contra a vida eterna? Conhece *alguma melhor*?

E piscou para a turma, que explodiu numa gargalhada só.

Deixei que rissem de mim até as lágrimas, até o delírio, até o orgasmo.

Quando todo mundo já tinha gozado, era minha vez:

— Não, não conheço. Mas essa aí demora muito.

Ninguém riu, muito provavelmente porque já tinham esgotado todo seu estoque de risos por uma hora.

Propp se recompôs:

— Vocês querem explicação?

O auditório ficou de pé, no brado:

— Explica! Explica! Explica!

Senti uma dor na barriga, e filosofei: tenho que cagar. Levantei, pedi licença ao professor, e saí da sala em direção ao banheiro, por aquele corredor como uma tripa, que serpenteava pela casa até o cu de uma privada. O chão era uma areia movediça de papéis cagados, camisas de vênus cheias de porra, paninhos vermelhos de menstruação, boiando no vômito e no mijo. Sentei na privada sem tampa, encaixando a bunda naquela roda gelada, e caguei, caguei como um deus, caguei com o fervor de Jesus suando sangue no Horto das Oliveiras. Bem na minha frente, a janelinha estava aberta, e eu podia ver um pedacinho do céu estrelado. Como não tinha nada pra ler, e quando a gente caga a gente precisa ler pra esquecer que é bicho, comecei a observar a massa de estrelas que me era dado ver. A delta do Cão Maior? A alfa do Centauro? Ah, aquela ali não me engana, com aquelas pernas, aquele cabelo, aquela bucetinha apertada, só pode ser, você, a gama da constelação de Virgem, Cassiopeia? Pensei em Norma, e meu pau começou a ficar duro, só que a cabeça bateu na borda fria da privada, e o pau voltou, paralelo com um troço que saía do meu cu para mergulhar, olímpico, nos oceanos infinitos das cloacas. Mais uma almôndega, e o caso estava encerrado. Peguei uma nota de cinco mil, limpei o cu, e já ia levantando as calças, quando vi que meu pau ainda dava sinais de vida. Fantasiei com Norma até ejacular, porra para a porra, vida para a vida.

Só então lembrei que, lá na sala, me esperava a equação da vida eterna.

2

Quando voltei, estranhei o silêncio. Abri a porta, e as cadeiras estavam todas vazias. Na pedra, ainda, a equação do professor Propp resumia todas as possibilidades da vida humana, e alguma incógnita ali ainda prometia a vida eterna.

— Você perdeu, ouvi uma voz dizer atrás de mim. Era uma das senhoras da festa, uma moreninha que, de tanto me notar, acabei notando.

— O que foi que eu perdi?

— A explicação da equação da vida eterna.

— Acabou?

— Não ainda, ela disse. Ainda faltam uns detalhes. Mas, no geral, é negócio fechado.

— E onde é que foi todo mundo? E o professor?

— O pessoal está no recreio. Ele deve estar na sala dos professores.

Com licença, professor. O senhor aqui? Onde mais?

— Venha me ver no próximo capítulo. Tem muito pra conversar.

3

— O pessoal está no recreio. O professor deu uma hora pra gente ensaiar ao vivo.

— Ao vivo?, eu perguntei.

— E, ele mandou cada um assumir um personagem, escolher suas funções e partir para a vida.

— A vida?

— Claro, está todo mundo brincando de 31. Você conta até 31, e eu, bem, você sabe o que é 31.

— Eu conto, e você se esconde.

— Não é justo. Par ou ímpar. Quem ganhar, se esconde

— Par.

— Ímpar.

— Dois.

— Três.

— Cinco. Ímpar. Ganhei. Eu me escondo.

— Um, dois, três, quatro, cinco, seis, sete, vinte, vinte e nove, trinta, trinta e um.

Trinta e dois, trinta e três, trinta e quatro, trinta e cinco, a febre começava a aumentar, trinta e seis, trinta e sete, trinta e oito, trinta e nove, a febre de procurar, atrás de cada arbusto, dentro de cada sombra, abrir todas as portas, levantar todas as pedras, olhar em todos os buracos, e de repente um tiro arrancar um pedaço de pedra da coluna onde você está encostado, a quatro dedos da tua orelha esquerda.

4

Me encolhi e me agachei, roxo de pânico. Tinha caído de novo na armadilha. Eu estava *fora da festa*. Corri até um arbusto, me joguei no chão, e engatinhei por dentro do mato, piolho buscando uma saída dentro de uma floresta de pentelhos. Desci mais com a língua e a ponta deu a volta no clitóris a parte do homem que fala dando pinceladas de Van Gogh na parte da mulher que só diz: ahhhhhhh, é demais, iiiihhhh, eu vou morrer de novo, uuuuuuuui, como é bom.

Entre as pernas, o pau, batendo que nem rabo de cachorro quando vê o dono, vai ter que ficar quieto, enquanto eu acabo este trabalho. Calma, calma, rapaz, você já vai. Aquela fumaça lá longe, aquela nuvem de poeira, não são comanches nem apaches. Parece bem mais a boca de Norma Propp, que vem para jantar.

5

Durante o jantar, Norma e eu falamos pouco, como já estava virando uma tradição entre nós, digna de ser tombada pelo Instituto Histórico e Geográfico.

Levou o garfo aos lábios, com a mesma naturalidade com que engolia o que eu tinha de mais eterno, os milhões de espermatozoides com minha programação genética, pululando em miríades, numerosas como as estrelas do céu.

Pela bilionésima vez, não soube o que dizer.

— Não está sentindo um cheiro de queimado?

— Quem, eu?, eu perguntei, separando as batatas fritas do arroz que tentava atacá-las como glóbulos brancos atacando uma célula amarela de câncer.

— Não, Bernardo, um teu antepassado, ela ironizou.

Fiquei sem ter o que falar, mas não havia força no mundo que me impedisse de despejar molho em cima daquele monte de farinha, que coroava meu prato, a pirâmide de um faraó no meio do deserto. Com uma colherada de queijo ralado, enterrei para sempre o pedaço de carneiro, que continuava insistindo em manter excelentes relações diplomáticas comigo.

— Você acha que esse carneiro está queimado?, eu perguntei.

Cheirou o prato, levantou as narinas, a luz nos olhos azuis.

— Não, vem de mais longe.

Arrependido, desenterrei o pedaço de carneiro debaixo da duna de queijo ralado, e já ia transformá-lo em parte de mim, quando quis saber:

— Por que é que você me chamou de Bernardo?, perguntei, sério.

— *Ninguém* chamou você de Bernardo.

— Como não? Você falou tão alto que *todo mundo* ouviu. Quer ver uma coisa?

Levantei, fui até a mesa mais próxima, e perguntei ao senhor presente.

— O senhor está de prova. Esta mulher me chamou de Bernardo.

Ele me olhou como um sapo olhando para a Mona Lisa. E foi meu fim:

— Desculpe, meu senhor. Mas eu ainda não acabei de chegar.

6

Coisa sobre a qual eu não quero falar, não me obrigue a lhe dizer umas verdades. Não me obrigue a lhe dizer que, bem, você sabe muito melhor que eu que *não é bem assim*. Você que vive no silêncio, *Photoblepharon Palpebratus* fosforescente nas trevas das profundidades abissais do oceano, silêncio seja teu elemento, coisa maior que todas as palavras juntas, coisa ruim, coisa à toa, coisa qualquer, qualquer coisa, *menos falar*.

Ah, se Propp me visse agora.

CAPÍTULO 30

1

Atendi o chamado do professor, e fui ao consultório tirar a limpo aquela história de vida eterna.

— Que história é essa?, já entrei perguntando. Vida eterna é a puta que o pariu! O senhor mesmo me disse que um terceiro lugar já é uma marca e tanto.

Me deixou desabafar os dez minutos regulamentares. Obtemperei. Ele tergiversou. Prorroguei. Ele indeferiu. Desabafei à vontade, Propp ouviu, desviou os olhos, ouviu de novo, e ouviu, e disse:

— Uma coisa que eu quero dizer faz muito tempo, nunca achei um jeito. Você sabe, *certas coisas* não são fáceis de dizer. Seu filho morreu, você está com câncer, está despedido. Nem sempre dá pra dizer "eu te amo", você compreende isso?

E começou a chorar, coisa que eu detesto. A gente não sabe o que fazer. Dar um soco na nuca? Chamar os bombeiros? Gritar "o senhor é meu pastor, vamos pastar"?

— O senhor está ganhando tempo. Vamos ao que interessa, professor.

— Muito bem, Propp disse, ajeitando a roupa amarfanhada. O caso é que você, digamos assim, *você não é necessário*.

Gelei.

— Necessário, necessário *como*?

— É. Isso. *Não é preciso você existir*. Essa é a raiz do seu mal. Mas não se preocupe, a gente vai dar um jeito. Logo, logo, você vai ter a sua função, e daí você vai se sentir sólido como um paralelepípedo e vai ver a vida com outros olhos.

— À merda com os outros olhos, eu gritei. Quero ver com os meus.

— Tarde demais, disse Propp. Agora, eu percebo, você não é apenas desnecessário. É um elemento nocivo. Não vou deixar que contamine meus outros personagens com essa mania de grandeza. Caso ainda não saiba, eu sou um warhoo, e, pelo crime de me encher o saco, eu condeno você, ser gasoso dos pantanais de Canopus, a ser congelado em palavras no planeta Terra, e exilado para sempre até o próximo capítulo.

2

O problema é que eu não podia sair da festa. Um buraco de bala bem no meio da testa não era bem minha ideia de felicidade.

Cigarro apagado entre os dedos, continuei procurando fogo, até uma vasta senhora, da boca saía uma piteira, elegante fio de capim balançando ao vento.

Ao ouvir minha pergunta, me olhou de cima a baixo e começou a fazer, entre baforadas, um discurso contra os perigos do fumo. E de como era muito mais feliz no tempo em que não fumava, também era a época em que eu estava com aquele, aquele, como é mesmo o nome?

Fui salvo a tempo por aquela mão que me segurou o braço e pela voz que me disse:

— Alguém gostaria de vê-lo, senhor.

— Mas eu não quero ver ninguém, esbravejei.

Considerando, porém, que era uma chance de escapar das baforadas da piteira, pedi licença e acompanhei o serviçal.

Ele me levou por várias portas até os fundos da casa, subimos umas escadas e, de repente, eu parei:

— Espere aí. Se for pra ir lá fora, não conte comigo. Lá fora, tem um maluco querendo acertar uma bala bem aqui na minha cabeça.

— Não se preocupe, senhor. Já estamos chegando.

Abriu uma porta e me introduziu no recinto, uma casa de bonecas, povoada por enormes ursos de pelúcia.

Quando me viu, Norminha veio correndo até mim, gritando:

— Ele está vindo! Ele está vindo!, e se agarrou nas minhas pernas com tanta força que quase caí para trás.

— Calma, calma, eu falei. Eu já vim. Olha eu aqui.

E fiquei passando a mão em seus cabelos.

— Não estou falando de você, ela se afastou. Estou falando do cometa.

— Cometa? Que cometa?

— Quer ser astrônomo e não sabe? O cometa Halley vem aí!

Claro, claro, como é que eu podia ter esquecido? O Halley voltava em 1986.

— O Halley vem aí, eu disse. E daí?

— Ele vem pra me apanhar, ele vem me pegar, e chorava um choro feito de todas as desgraças.

— Não chore, tentei consolá-la. Eu estou aqui, não vou deixar nenhum cometa pegar você.

Ela me soltou, e recuou de novo:

— Mas você não entende *nada*, não é mesmo?

Enxugou os olhos com as costas das mãozinhas, e revelou:

— Ele vem pra me apanhar, eu vou voltar pra casa.

3

Quase entendi:

— Duas histórias, meu filho, não podem ocupar *o mesmo* lugar no espaço-tempo. Logo personagem algum pode dar conta de *mais de um enredo* no mesmo lapso.

Mas me fiz de desentendido bem a tempo:

— A cada dia que passa as coisas vão ficando cada vez mais complicadas, à medida que o tempo vai passando, passando, passando, vão se complicando ainda mais, mais e mais. É por isso que as pessoas morrem, morrem, morrem. Morrem porque não aguentam mais tamanha complicação, complicação, complicação.

4

Enquanto isso, ela não parava de cantar:

O, P, Q, R, S,
tire da cabeça
essa ideia maluca,
a alma só cresce
quando se machuca.

5

— Ah, vamos mudar de assunto, não tem nada mais chato que lembranças dos tempos de escola. Todo mundo igual, todo mundo os mesmos problemas, todo mundo aquelas coisas, até parece os esquemas do meu pai.

— Por falar nisso, Norma, uma coisa que nunca perguntei. Você acredita mesmo, mas acredita *mesmo*, naqueles esquemas dele? Já viu alguém ficar bom com aquele tratamento?

— Bem, ela falou. Ainda é cedo pra dizer. Afinal, você é o primeiro.

CAPITULO 31

1

Passava, aparentemente indiferente, por um grupo de convivas, quando ouvi, claro, de um deles:

— Na Flandres, e mais na Alemanha, é proeza de alta galantaria, singeleza e boa lei, beberem os homens tanto, que perdem a tramontana. Mas esta tal usança não pode desmentir nem honrar o desvario que há nela, porque aquela demasia é de seu natural injuriosa.

— Senhor, há aí umas coisas que não são fastas nem nefastas, e só as faz assim o prolongado costumar. Folgara eu muito que vossa excelência me dera por adivinhado, sem me instar a ostentar exemplos mais sobejos.

Claro, eu estava sendo vítima de uma alucinação acústica.

E intuí que as emoções da noite e os estímulos do encontro me fizeram ouvir aquilo que, talvez, na realidade, tinha sido apenas algo como:

— Se não for o bastante, muito mais a gente apanha, foi um fato que nenhum juiz em boa-fé duvidaria, viver com ela é um encanto, mas isso fica por conta do marido.

O pior é que isso fazia ainda *menos* sentido. E daí?, fazer sentido não é tudo na vida, já dizia minha tia. E viva Propp!, não qualquer um, é claro, mas só aquele que um dia me disse:

— A lógica? A lógica morreu de um tumor cerebral, no verão de 1878, em Clichy, uma pequena aldeia no interior da França, quase na fronteira com a Alsácia-Lorena.

2

Cara a cara com aquela buceta, não pude deixar de me perguntar:

— O que é que um lugar como esse está fazendo numa garota como você?

Pelos anéis de Saturno!, do pouco que eu entendo de mulher, e das algumas em quem cheguei mais perto, ou mais dentro, tem menos diferenças entre o céu e a terra do que entre uma buceta virgem e uma que já levou pau.

Na de Norma, eu sempre sentia *outra coisa*: alguma coisa assim que ver com um certo cheiro de queimado.

3

— Acho que estou grávida.

Nem olhem pra mim. Saliva não emprenha ninguém. Mas me deixem olhar pra essa mulher que diz que vai ser mãe, e que me lambuza com aquele olhar de Nossa Senhora dos Prazeres, e que, de repente, começo a chamar de tudo, e nem levem em conta isso de eu cair numa crise de choro, ajoelhado a seus pés, agarrando seus joelhos, aquele desejo de morrer me estragando completamente a estúpida vontade de *gritar para sempre* que começava a ferver dentro de mim.

Sobretudo, me deixem perguntar:

— É dele?

— Dele quem?

— Você sabe de quem.

— Não sei, não. *Você* sabe?

— Se você não sabe, que tal a gente esquecer esse assunto todo?

Difícil esquecer um assunto que, dentro de nove meses, vai estar dando trabalho numa maternidade, bebendo rios de leite de mulher e de vaca, acordando a vizinhança na madrugada, cobrando caro em creches e colégios, vivendo às tuas custas, e dizendo, sempre que possível, você não está mais com nada.

Pensei em escrever uma carta para uma dessas revistas especializadas nas sacanagens da vida dos outros: prezado senhor, é possível alguém engravidar *sem*? E quase ouvi a revista responder: meu amigo, isso só foi possível uma vez na história, o nenê nasceu robusto, e foi crucificado trinta e três anos depois. No atual estágio da ciência, etc., etc., etc.

Achei melhor perguntar a um colega do curso, o tal que, como eu, pretendia fazer medicina, mas só conseguiu notas para fazer a opção de astronomia.

— Depende, ele falou.

— Depende de quê?

— Bem, do tipo de coisas que vocês, bem, você sabe.

— Deixa pra lá, encerrei a consulta, me lembrando daquela vez quando esporreei bem em cima dos pentelhos ruivos de Norma, e esfreguei a geleia real naquele chumaço de pelos, como se estivesse passando sabão para barbeá-los. Podia acontecer que algum espermatozoide mais esperto tivesse se insinuado até a boca da buceta de Norma, tivesse passado toda a barreira de secreções ácidas, tivesse galgado as montanhas da entrada da vagina e, depois, seguindo viagem, tivesse chegado até os rios que levam ao ovário, e, olimpicamente, sozinho, tivesse se atirado de cabeça num óvulo de Norma, para se dissolver no jogo caleidoscópico e psicodélico do encontro de rios do código genético, a fantástica troca de traços hereditários de cor da pele, forma dos olhos, orelha do avô, cabelos da mãe, estatura dos ancestrais, vida saindo da vida, tradução da tradução da tradução da.

Podia acontecer. Ou não podia?

4

Um perfeito idiota, um dia, perguntou:
— Você é, Norma?
— Não seja idiota. Você sabe perfeitamente que sim.
— Não leve a mal. Perguntei só por perguntar, é que você está, você sabe, e daí, eu pensei, bem, imagine.
— Tem muitos modos de ficar, ela protestou.
— Não fique tão assim. Eu pensei que só tinha um.

Fiquei ali, mexendo o gelo dentro da vodca, aflito com o que podia ter acontecido às zooms warhoos em seu último ataque aos seres gasosos dos pantanais de Canopus.

Dei um gole, levantei e gritei:
— Achernar até a morte!

Aquele dia, tinha havido um clássico. E pensando que eu brindava ao time vencedor, os torcedores das mesas em volta se levantaram, copos na mão, gritando, em coro:

— Até a morte! Até a morte!

5

A primeira mulher que eu comi, passou o lenço lilás na buceta, e me disse:

— Se eu fosse juntar todos os paus que já levei, dava pra fazer mais de um quilômetro e meio, de eu atravessar na corda bamba por cima da baía da Guanabara.

Nem se esqueceu de acrescentar:

— O teu não é dos piores. O tipo grosso é dos meus favoritos. Quando minha buceta alarga, sinto que estou ficando enorme, do tamanho de um homem. A porra é que não dura muito. Ainda bem que homem é o que não falta.

Tinha que perguntar, gostou?

— Escuta aqui, garoto. Está falando com uma profissional. Ainda falta muita buceta pra você virar um campeão. Cala a boca, e chupe aqui, assim, bem aqui, ó.

6

A fila das fatias de rosbife (ou eram pedras de dominó?), na fila, todas as fatias me olhavam com a cor e a cara da buceta de Norma Propp.

Viciado, avancei de garfo em punho, e fisguei uma lasca, que caiu no meu prato como uma puta nos braços do próximo.

Foi provar e cuspir. Estava podre. Podre como aquele morango. Podre como um cachorro morto e podre num terreno baldio. TUDO TINHA MUDADO. E eu filosofei, com toda a raiva:

— Merda. O serviço nessa festa está cada vez pior.

7

Pior que o cheiro de queimado, era aquela sensação de estar sempre caindo, o pulo num precipício, girando no ar, como um trapezista que, no salto tríplice sem rede, de olhos vendados, procura no vazio as mãos do parceiro de vertigem.

Que outra coisa sentir quando você se acomoda numa roda e ouve que dizem coisas como:

— Para que é atinar outro siso nem conceito? Agora creio o que diz aquele prócer, que o ventre achou o engenho, e a carência é mestra.

Isso não era tudo. Falavam de naufrágios no Mar do Norte, mulheres inesgotáveis, o futuro está no fundo do mar.

— Isso se houver futuro, alguém observou.

E perguntou:

— Quem tem?

Fiquei quieto, com aquela certeza miúda e quentinha por dentro. *Eu* tinha futuro.

8

Bem mais fácil, se elas não tivessem essa mania besta de ter pais, irmãos, tios, cunhados, filhos, toda essa gente

que dá tiros, porradas, entra com processos, faz perguntas, como essa que Propp me fazia:
— E agora?
— Agora, o quê?, fiz de conta que não era comigo.
— Você sabe, o estado de Norma.
— É, ela tem estado esquisita ultimamente.
— Sabe muito bem que não é disso que estou falando.
— Então do que é que é?
— Ela não lhe disse que está?
— Disse?
— E você?
— Desejei que o parto seja normal, o bebê nasça saudável, com dois bracinhos só, dois olhinhos no meio da cara, que não sejam gêmeos e, se forem, que não sejam xifópagos.
— Só?
— Só. O que mais eu podia querer? Não sou eu quem vai ter o bebê. Além do mais, ela é maior de idade, e deve saber o que faz.
— Aí é que você se engana. Ela mal completou dezessete.

Malditos números ímpares, para sempre malditos o 1, o 3, o 5, o 7, o 9. O 31. E, sobretudo, o 17.
— Mas ela me disse que tinha feito vinte e um.
— Dezessete, ele repetiu. E estou disposto a levar as coisas às últimas consequências.
— E que consequências são essas?
— Bem, você sabe, existem *leis*. E as leis não gostam que namorados andem por aí engravidando suas namoradas. Principalmente, quando elas são menores de idade. A pena, para esses casos, é o casamento.

Me ajoelhei diante da superioridade absoluta de Propp, levantei os braços para o alto, me agarrei em suas pernas, e gani como um cachorro que cai de um caminhão de mudança.

— Não, por favor, professor. Qualquer coisa, menos isso. Acabe comigo agora mesmo, mas não me condene a essa morte lenta.

E levando a mão ao chaveiro, tirei meu cortador de unha, e o apertei na palma da mão de Propp.

— Taí, pegue, corte minha jugular, mas não deixe que me casem.

— O que está feito, está feito, ele disse. E se levantou, me largando no chão, bife malpassado prostrado diante de um ídolo implacável.

9

Como explicar ao pai que não era bem assim, que *certas coisas* não engravidam, que não era tão óbvio que eu fosse Propp, melhor dizendo, como explicar a Propp que eu não era o pai? Falar em Bernardo seria o mais lógico, mas, me lembrei, não há registros dele, nem endereço, nem telefone. Nada mais fácil para Norma que negar que ele existisse, e provar que *tudo* não passava de uma invenção minha.

Fantasiei uma fuga para o Mato Grosso do Sul, a Austrália, a Legião Estrangeira. O problema é que eu não conhecia ninguém nesses lugares, e viver num lugar assim, Deus me livre, prefiro minha festa, onde, pelo menos, eu sei que tem *alguém* tentando sinceramente acertar um tiro na minha cabeça.

10

A house is not a home,
a home is not a house,
when the two of us has fallen apart
and one of us
has a broken heart,

sim, Ella, Ella Fitzgerald, tenho certeza, uma gravação de 1957, não, minto, dezembro de 56, Ella, mas quem canta como Ella? Saio atrás da voz, mas a casa multiplica os ecos, o zumbido da festa lá atrás, uma espécie de silêncio ficando velho. Sair lá fora, por razões óbvias, nem pensar. Então, vai ser *aqui dentro mesmo* que eu acerto contas com a putinha dessa cantora metida a grande dama, quando, de grande, só tem a buceta depois de levar um cacete deste tamanho. A última vez que eu a tinha visto, estava bem ali, se abrindo para uns três caras, atenção especial para um deles, aquele que está encostado na parede, com uma perna levantada, o pé na parede, como se estivesse na rua, encostado num poste, esperando a buceta de Norma passar cantando. Odiei o cara na hora, aquele sorrisinho boçal, o jeito de subir o cigarro até a boca e baixar, o olhar de quem *tinha certeza*. Se eu estivesse armado, ia até lá, jogava um copo de cianureto de potássio na cara dele e dizia, olhe aqui, seu viadinho, a próxima vez, vamos lá pra fora, a próxima vez, eu vou lhe acertar um tiro bem no meio da cara. Essa tinha sido a última vez que eu tinha visto Norma, depois, ela tinha sumido. Aliás, o cara também.

11

— Falei com teu pai ontem.
— Eu sei. Ele me disse.
— Disse o quê?
— Disse.
— E agora?
— Agora é que são elas.
— Como assim?
— Sei lá.

Como é que pode alguém, bem, vocês sabem, tem uma coisa sobre a qual de uma vez por todas, eu *não quero* falar.

Mesmo assim, falei, como é que vai ficar agora?
— Agora, quando?
— Você sabe, ele pra nascer, a gente junto, essa coisa toda.
— Tem certeza que as coisas vão se passar *dessa maneira*?

Eu quero esse filho, Norma. Quero que, por causa dele, a gente tenha que casar. Só assim vou ter uma vida inteira pra me vingar de tudo o que você já me fez, essa coisa pegajosa e lambida que eu sinto por você. Uma vida inteira, por Deus! Segundos, minutos, dias, semanas, meses, anos e anos de tortura lenta, chinesa, dedos de ourives no nervo mais exposto! Ia passar da defesa para o ataque, estava para atingir alguma coisa muito maior que a sabedoria.

12

No dia seguinte, procurei Propp, e já entrei dizendo com toda a clareza e sinceridade de que meu coração era capaz:

— Professor, bem, o senhor sabe, eu, isto é, bem que a gente podia, o senhor não acha?

— Me mostre a língua.

Derramei na frente de seus olhos meio palmo daquela alcatra que lambia e fazia as delícias da gota de filé-mignon que sua filha tinha no meio das pernas. Examinou-a bem com uma lupa.

— Exatamente o que eu pensei, diagnosticou. Você está para entrar na função H, a luta contra o malfeitor, num combate em campo aberto.

— Mas, professor, eu repliquei, sua filha está esperando um filho meu, e o senhor fica aí com esses joguinhos ridículos. Eu não acredito mais nisso. Não sei se o senhor reparou, mas, agora, *eu sou real*. O que eu fizer, de agora em diante, é pra valer.

— Bravo, meu filho, assim é que se fala, ele disse. A dúvida quanto à validade do método é típica da passagem da função H para a I, o estigma, a marca imposta ao herói. Você *vai* chegar lá.

— Lá onde?, perguntei, oblíquo.

— Se eu contar o trajeto seguinte, e o final, vamos estragar todo o tratamento. Você *tem* que confiar em mim, meu filho. É a única chance que você tem.

— Chance? Chance de quê?

— De sair vivo e ileso desta história, seu imbecil!

13

Saio atrás da voz, mas a casa multiplica os ecos, o zumbido da festa lá atrás, uma espécie de silêncio ficando velho. E, de repente, a impressão de *já ter visto aquilo tudo*, isso sem falar naquela sensação de carregar o mundo nas costas, nas minhas orelhas de elefante aquele eco, outra vez, outra vez, outra vez, a que o eco respondia, never more, never more, never more, nunca mais! A house is not a house, a home is not a house, a room is still a room, even if there is nothing there. Perguntei a alguém por ali, se tinha visto uma senhora assim e assim, aquela, claro, aquela, isso mesmo, aquela? Ele me respondeu por gestos como um cacique comanche, três luas, mulher partir, estar para chegar grande cometa, grande bola de fogo viu meu avô, ano bom, muito peixe, búfalo gordo, muita mulher bonita. Segui a pista, o coração me beliscando que eu ia encontrar Norma se agarrando com aquele carinha em algum canto escuro do jardim. Só que saindo lá fora eu arriscava levar uma bala de carabina bem aqui onde Norma dói e eu só penso bobagens. Eu *tinha* que acertar o atirador antes que ele me acertasse. Fui até a cozinha, abri uma gaveta e hesitei. Machado de açougueiro. Faca de carne. Espeto de churrasco. Para cortar uma garganta de orelha a orelha, bom mesmo é uma faca. Mas para furar um olho, nada se compara com um espeto de churrasco, esses de aço, bem fininhos que nem agulha de tricô. Já para abrir um crânio, que tal um machado vibrado por mão firme? Hesitei, hesitei. Por via das dúvidas, levei os três. Quem sabe o cara era desses tais que teimam em fazer de conta que não são desses que morrem. Ou que *são* desses que não morrem.

14

— Os dixies de arroubarim galj gorgs de Noméria.
Corria até a janela e gritava para o além.
— Menops! Menops!, auaiam, auaiam gorgs elafo-bélion!
Agarrei-a pelos ombros, sacudi-a para tirá-la do transe, ela me olhou, um céu em cada olho, e eu perguntei:
— Quem está atirando em mim, Norminha? Você sabe, eu sei que você sabe! Onde ele está? De onde ele atira?
Ela continuava apontando para a janela.
— Medved surts rinforcs! Odradek! Odradek!

15

Só havia um modo de eu descobrir. *Me expondo*. Assim, cheio de armas brancas, saí para fora, olhando com mil olhos em toda a minha volta.

Em minha frente, descia o jardim, arbustos multiplicando as luzes da festa pelos restos de pingos de chuva que caiu ainda há pouco, passando pelas áreas de sombra, até os escuros totais, donde saíam os monstros encarregados de me atormentar.

Nas minhas costas, a casa, aquela coisa horrível, chaga na noite, grávida de uma festa, acendia e apagava como o painel de um computador, onde a luz jogava os supremos fliperamas infinitesimais do amor e da dor.

A casa toda me olhava pelos olhos quadrados de dezenas de janelas, o olhar polígono das moscas e das abelhas. Em qualquer uma das janelas (ou em várias?), alguém-lee-

-oswald, olho na mira telescópica do rifle, a cruz cruzando na minha têmpora direita, o tesão de acertar.

Uma gargalhada explodiu lá dentro da festa, e me pôs em sobressalto. Por instinto, aquele gesto primata, levei a mão ao machado de cortar carne, só vikings que morrem de arma na mão são bem recebidos no walhala, dizia Propp.

O susto só durou um arrepio. Logo tudo estava quieto de novo, muito vento tentando consolar a noite de tudo que tinha chovido.

Pus a cabeça num raio de luz, um segundo, dez, trinta, um minuto: nada. Caminhei uns passos em direção a um canteiro de plantas rasteiras, girando a cabeça e olho aceso em todas as janelas, norte, sul, leste, oeste, me virei de frente para a casa. *Então, pela primeira vez, a vi em todo o seu esplendor*. Era tão linda, com todas aquelas luzes. Pena que queria me matar. Fiquei caminhando em círculos, num ponto onde todas as luzes das janelas faziam um clarão. Pode atirar, seu filho da puta, mas é bom acertar o primeiro tiro, eu vou descobrir onde você está, e vou cortar tua espinha com este machado que nem quem derruba uma bracatinga.

Mais um minuto, mais umas voltas, e nada. Ué, pensei, desistiu?

Fui até o centro da luz, abri as pernas e os braços, e gritei que ecoou no pátio todo, e ricocheteou pelos corredores:

— Atira, seu filho da puta, corno, viado, te mostra, covarde, ou só sabe atirar pelas costas, num homem desarmado?

Ou só sabe atirar pelas costas, num homem desarmado, eu já disse meio desanimado, a voz baixando como quem desliga o rádio bem devagar pra não passar muito rápido do show para o silêncio.

Nada. Aliás, nada não, que eu vi *aquela* janela apagar lá no segundo andar, a terceira da esquerda para a direita.

16

Um dia, cheguei no consultório mais cedo do que de costume, e os surpreendi. Falavam de mim, eu tinha certeza.

— Acha que já está na hora de suspender o lobo?

— Nada disso, ele sentenciou. Muito cedo. A retirada do lobo só é aconselhável depois da passagem da função J para a K, entre a vitória sobre o agressor e a reparação do dano.

— Não acha que ele já sofreu bastante?

— O coração, minha filha, é um imbecil. Quem não sabe fazer sofrer, não sabe ensinar. Se for me guiar pelo que sinto, nunca vou conseguir fazer bem. O lobo fica.

(— OK, professor, vou lhe mostrar com quantos plágios se faz um original.)

17

Naquele tempo, a vida andava muito cara. E eu fiquei pensando no que ia ser de Norma, de mim e do nenê, se tudo fosse depender apenas das escassas e esparsas aulas de matemática que eu dava a uns sonolentos vestibulandos em algumas tardes de sábado.

No fundo, me passou pela cabeça, meu pai tinha razão. Devia ter dedicado meus melhores anos a aprender um ofício que desse dinheiro, *muito dinheiro*. Agora era tarde.

Dinheiro não gosta de quem não gosta dele. Norma, o nenê e eu, a gente ia morrer de fome. A menos que eu fizesse *alguma coisa*. Mas o quê? Tudo o que eu sabia fazer na vida era saber que o cometa Halley estava pra chegar.

18

1, 2, 3, a terceira janela da esquerda para a direita. É *essa*, foi aqui que apagaram a luz, quando eu me expunha no pátio, me arriscando a levar um tiro entre meus dois braços abertos.

Bato ou arrombo? Olhei bem para a porta, não era do tipo que parece que vai cair ao primeiro golpe de ombro. Bati, bati, nenhuma resposta, levei a mão ao trinco, aberta! Entrei, olhei em volta, ninguém, fui até a janela. Batata. Olhando pra baixo, vi exatamente, num facho de luz, o lugar onde eu tinha me exposto, lá no meio do pátio, entre os canteiros de plantas rasteiras. Tinha uma cadeira voltada para a janela, pus a mão no assento, estava quente, ALGUÉM ESTAVA SENTADO AQUI HÁ MENOS DE UM MINUTO.

No ar, o azedo e o amargo do perfume de Norma, e aquele cheiro chato de queimado, lembrando vagamente o cheiro do fumo do cachimbo de Propp.

19

Primeiro pensamento, *telefonar para Norma*. Se não estivesse em casa, bem, não quero nem pensar.

O mordomo cortou minhas asas:

— Impossível, senhor. Com essa chuva, a casa só está recebendo. A hora que a gente puder falar para fora, o cavalheiro vai ser o primeiro a saber.

Essa era muito boa. Estava preso numa festa que não sabia nem o que estava celebrando, e onde eu só tinha entrado para pedir fogo.

Alguém estava querendo que eu parasse de fumar.

A essas alturas, já nem sabia mais se o que mais queria era poder conversar com alguém, ou comer uma fatia de rosbife, quem sabe alguma batata frita, creme?, não, obrigado, estou num regime danado, nada de sal, a geleia, por favor.

— A geleia eu não recomendaria.

— Não me interessa o que o senhor recomendaria. Passe a geleia.

— Depois não reclame, eu digo, esse gosto de podre.

20

— Tem umas coisas, acho, que nunca ficaram bem claras entre nós, fui falando logo de cara.

Norma já estava conformada.

— E nem *nunca mais* vão ficar.

— É, agora, não vão *mesmo*.

— Quem diria.

— Veja só.

— Pois é.

Um dia, Propp chegou e disse:

— Me conte sua história favorita. A primeira que lhe vier. Vamos lá, vamos, já, o que é que está esperando?

— Espere, professor, espere um pouco, já sei, vejo um menino perdido numa floresta.

— Ora, come on, ele disse. You can do better than that. Try again.

Deu um tempo, e corrigiu:

— Perdão, eu não quis dizer isso.

— Pare um pouco de falar e escute. Era uma vez uma constelação de estrelas que queria virar alguma coisa deste mundo. Olhou-se numa poça d'água, e pensou estar vendo imaginou estar vendo um sapo apenas um sapo mergulhando num poço. E quis muito ser aquilo. E ser uma raiz de árvore. E ser o andar de um velho. E ser o número num talão de cheques. Até que, por fim, quis ser apenas só aquilo mesmo, um punhado de estrelas soltas, algumas palavras de uma história ouvida em pedaços na balbúrdia de um bar depois da meia-noite e quinze.

Acontece que tem uma coisa sobre a qual eu não quero falar, e fiquei com medo que Propp percebesse que estava evitando a história que diria *mais do que convém que uma história diga*.

Claro que o velho perdigueiro percebeu, e me fez começar todas as histórias possíveis, recusando uma após a outra, até eu ficar exausto de tanto imaginar, até eu cair no abismo sem fim do fim de todas as histórias.

21

— Não, disse Propp, já que você quer saber. Só nas histórias de deslumbramento, estamos livres da maldita moral. Um actante *não obedece* a normas. Sua única ética é perfazer a trajetória da sua ação. Seu dever é atravessar as peripécias, superar os perigos e chegar vitorioso ao final.

Ofegava, ao concluir:

— Um actante só obedece a uma *lógica militar*, e deu um murro na mesa que fez a coruja de Minerva dançar um samba rasgado.

Jamais suspeitei instintos bélicos naquele velhinho judeu, cuja vida parecia toda dedicada à plácida busca da sabedoria e da saúde.

Era a hora, e eu explodi:

— E A VIDA, PROFESSOR? ONDE É QUE A VIDA ENTRA NISSO TUDO?

— Vida?, ele disse. E *quem* falou em vida? Você anda lendo histórias demais ultimamente. A vida, meu filho, só existe nesses romances água-com-açúcar, esses mesmos que estão estragando tua vista. Posso ver por seus olhos vermelhos que tem passado madrugadas em claro. Deixe-me ver.

E, clínico, abriu cada um dos meus olhos (por que eu só tenho dois?), e olhou bem dentro deles um olhar obsceno, imoral, um olhar frio, sem emoção, nem afeto, um olhar onde brilhava apenas a branca luz de neon da lógica.

Mergulhei naquele abismo, onde ouvia milhares de vozes conversando como as malditas vozes daquela maldita festa, as ilusões perdidas dos irmãos karamázov estão à procura do tempo perdido, e a hora que encontrarem vai correr sangue, o xerife Wyat Earp e Doe Holliday já estão nos arredores de O. K. Corral, Lampeão e o bando dormem na Cova dos Anjicos, Marco Polo na corte do Khan em Cambaluc, a escalada do Everest pela face Norte, o lobo, agora cão, ouve ao longe, esfarrapados na nevasca, os primeiros acordes de The Call Of The Oscar Wild, vira para a loba de Roma e diz, querida, estão tocando nossa música, Nosferatu espera a luz baixar, o abominável homem das neves encontra o monstro da lagoa negra, Nostradamus profetiza, os 3 Mosqueteiros cruzam as espadas, um por todos, todos por um, Quetzalcoatl parte numa jangada para o leste, o rei D. Sebastião vai voltar, voltar, voltar, voltar, todos vão, os 3 Reis que seguiram uma estrela e visitaram um certo menino recém-nascido, um certo sábio que fez um pacto com o diabo, um certo "hidalgo, de esos de lanza en astillero" que obrigou seu rei a jurar sobre a bíblia que não tinha matado seu irmão, uma, duas, três vezes, voltar, voltar, voltar, Nostradamus profetiza, era uma vez quatro rapazes de Liverpool que resolveram montar uma banda de rock, alguém é processado por um crime cuja natureza desconhece, o ego de Fernando explode em mil pessoas, uma sonda espacial se aproxima de Saturno, um capitão perneta persegue uma baleia branca pelos sete mares, Marighela recebe a bênção dos dois dominicanos, Getúlio não morreu, Nostradamus profetiza, ninguém morreu, calma, calma, calma, ninguém *nunca* morreu, ainda reina Ramsés III.

    Mariel estaciona seu carro branco no sinal fechado, o falcão maltês sobrevoa a Casa de Usher, os nus e os mortos sentam na mesa de Bugs "Bigknife" Malone e pedem um breakfast at Tiffany's, à sombra do sorriso do retrato do artista quando monalisa, romances água-com-açúcar!, o que eu não daria para viver um pouco, nem que fosse dessa vida efêmera, de milésimos de segundos, que vivem certos elementos radioativos da tabela química de Mendeleiev!

    Da vida? Da vida, não fala um actante de Propp. Mas eu falo, falo, falo. Falo até ficar rouco. Até gastar a língua, e ela ficar assim deste tamanhinho, do tamanho do grelo de Norma Propp. Tem a coragem de cortar a garganta de alguém? Passar a navalha no pescoço de um, abrindo aquela buceta de orelha a orelha? Essa é a única questão *realmente filosófica*.

Propp larga meus olhos, pisco e olho em volta, em quem botar a culpa, o ovo do diabo?

Já cumpri com meu dever de ser claro. Acho que, a essas alturas, já conquistei o direito de ser obscuro e confuso.

Sei que não devia estar dizendo as coisas *desse jeito*. Propp tinha me dito para eu sentir COM COISAS. Com fatos. Acontecimentos. Assim fazem os verdadeiros heróis, ele dizia, invocando Napoleão.

Sinto desapontá-lo, mas não sou imbecil o suficiente para APENAS contar uma história com o corpo da minha vida. Desculpe, professor, mas eu comecei A PENSAR. Sei que talvez seja um pouco cedo. Talvez não leve a nada.

Sei até o que o senhor vai dizer: você, PENSAR? Mas é isso, seu monstro sem coração, *eu estou pensando*. Sim, eu, eu, eu, actante de Propp. Vai fazer o quê? Chamar a Gestapo, a CIA, a KGB, o raio de Zeus? Vai tomar no seu cu, antes que eu me esqueça. Porque quando *eu* esqueço é o naufrágio do Titanic. Desaparece você, desaparece essa festa, a tua filha, nosso casamento, seu neto por nascer, desaparece essa história toda.

Quer ver? Pronto. Eu esqueci. Esqueci o telefone de Norma. O endereço da casa. Esqueci até o que a gente veio fazer aqui neste planeta que apodrece como um repolho no lixo.

Você não me conhece, professor. Eu sou capaz de esquecer COMPLETAMENTE.

22

Devem estar lembrados daquele cavalheiro na festa, o tal que tinha uma bomba atômica implantada no cérebro, e que podia explodir se dissesse uma determinada palavra, o tipo chegou bem do meu lado, todo mistérios, encostou, levou a boca até minha orelha, e eu pensei, ihhh, mais um!, nunca falta!, mas não, ele apenas sussurrou:

— Estão dizendo que tem um ladrão aqui dentro da festa.

— Só um?, perguntei quase sem querer, olhando em volta, dois, três, quatro, cinco, pelo menos, uns vinte e cinco, calculei, assim meio por cima.

Então, ele pulou de lado, e me apontou com o dedo, gritando pra todo mundo:

— Pega ladrão!

Como nunca me interessei muito por esses papos sobre problemas jurídicos, pedi licença e fui saindo meio devagar, meio depressa, mais depressa, e saí correndo os cem metros rasos, seguido por uma multidão apoplética de damas e cavalheiros, gesticulando.

— Pega ladrão!
— Agarra!
— Allah hu-Akbar!
— Fura o olho!
— Chuta o saco!
— Come o cu dele!

Todo mundo que já tentou sabe como é difícil manter a elegância a quarenta quilômetros por hora. Mas Deus é testemunha de Jeová que eu tentei. Morrer é apenas uma das coisas que podem acontecer com a gente. Talvez, a menos importante. Uma mera formalidade. O único problema é que de morrer ninguém tem muita experiência. Morrer, tudo bem. O que eu não podia tolerar era ser ofendido assim diante de tanta gente distinta.

O que me valeu mesmo na minha retirada da laguna é que eu estava conhecendo muito bem a geografia daquele jardim, onde tinha passado momentos maravilhosos, levando tiros na cabeça, fugindo que nem ratos em pânico, sempre aquela pergunta martelando e doendo tudo aqui por dentro, *what am I doing here, after all*?

23

— Onde é que ele foi parar?
— Como é que pode?
— Como se atreve a fugir desse jeito?
— Quem tem um fósforo?
— Até que tamanho você aguenta?
— Quem somos? Donde viemos? Para onde vamos?

As vozes dos meus perseguidores zumbiam em volta do arbusto onde eu estava agachado, moscas-varejeiras em volta de um monte de merda fresca. Ah, Propp, você me botou nessa, você ainda me paga.

Tudo fedia, fedia a queimado, quando ouvi alguém gritar, com a voz do dono da casa:

— OS CACHORROS! TRAGAM OS CACHORROS! CHAMEM HERR DOBERMANN! QUERO TODOS OS CACHORROS AQUI, AGORA MESMO!

24

Norma andava com enjoos.
— Quantos meses você acha?
— De enjoo?
— Não, você sabe.
— Ah, sim, uns dois ou três.
— Está demorando.
— Sempre demora.

Tudo estava demorando. Pedi mais um conhaque, peguei a mão de Norma, e fiquei olhando pra ela pensando se não era melhor pedir uma felicidade em vez da sabedoria. Dizem que, nesses casos, os garçons atendem mais depressa.

25

Querido papa, situação insustentável.
      Parto hoje com Bernardo. Função E,
desmascaramento do falso herói.
      Não comunico nosso destino por razões óbvias.
Notícias assim que nosso nenê nascer,
                    nada pessoal,
                        Norma

Propp me estendeu o bilhete como quem diz, está vendo, é assim mesmo.

E eu senti uma dor no peito como se meu coração tivesse sido atravessado por um agudo da vocalista dos Big Brothers and The Holding Company.

Nem precisei ler. Aliás, nem li. Peguei, vacilei, e devolvi, como quem vomita. Lá estava. Aconteceu o que eu mais desejava, *tinha acabado de acontecer o que eu mais temia*. Nem sabia como, mas sabia que estava livre daquela situação ridícula. Finalmente, eu ia poder voltar, voltar a que mesmo? O que não quer dizer que eu não me senti o mais miserável dos mortais.

— São assim, Propp falou, tentando me consolar da expressão de absoluta calamidade pública que tinha desabado em cima da minha cara.

— O que é que são assim?, ainda achei forças de perguntar.

— As coisas.

— Ah, as coisas! Claro, as coisas são terríveis, gani, enquanto olhava em volta, procurando alguém que eu pudesse cortar a golpes de gilete.

26

Arf, au, au, argh, ouvi os cães ao longe, Herr Dobermann, aquele cachorro, ia despejar em cima de mim aquela avalanche de dentes e garras e olhos faiscantes. Nenhum segundo a perder, se não quisesse virar uns doze mil cruzeiros de bifes de alcatra, ou menos.

27

Do arbusto, eu podia ver, bem em minha frente, um garoto com cara de pavor, que segurava uma tocha, olhando em volta, como se seu pai e sua mãe estivessem para chegar a qualquer hora, e ele estivesse chupando o pau do motorista negro da família.

Me joguei de cabeça na barriga dele, em cheio!, e senti quando ele passou por cima de mim, saco de batatas que já não tinha a menor importância. E me atirei na porta que dava para aquela escadaria que levava até o segundo andar, saindo naquele corredor todo cheio de portas, onde, num dos quartos, tinha *alguém* dando tiros na minha cabeça.

Quando entrei, os cães lá embaixo latiam como uns desgraçados.

28

— Por favor, professor, eu falei, vai mais devagar. O senhor não está acostumado, vai passar mal.

— Não estou acostumado? Não estou acostumado? Você não me conhece, meu filho. Garçom, garçom, mais um, mais um! Duplo! Não! Triplo! Triplo!

E com os olhos doidos de álcool Propp me agarrou pelo braço:

— Não te falei dos porres que a gente tomava no Círculo de Moscou e depois no de Praga? Que tempos, rapaz! Que tempos! Não pense que a gente passava o tempo todo só falando de sílabas tônicas e estruturas da narrativa. O que a gente bebia, meu Deus! O que a gente bebia! E fodia! Rios de vodca, cerveja, vinho branco!, coristas, atrizes!

E punha a mão em concha sobre os olhos, como quem faz força para enxergar lá longe, por cima de um amazonas de vodca e cerveja, uma fila de coxas dançando o cancã.

— Como foi que você acha que eu cheguei às minhas conclusões mais fundamentais? Durante o dia, eu elaborava. Mas as intuições máximas foram todas rabiscadas em guardanapos de mesa de bar, costas de cardápios, coxas, peitos, bundas, quando não na própria toalha, que a gente puxava da mesa, enrolava e metia no bolso, e a gente saía com aquelas toalhas no bolso, aqueles lenços enormes de um gigante gripado. Aquilo sim eram dias! Um mundo desabava, e a gente discutia, sílaba por sílaba, as leis do verso russo, tcheco, croata! Era preciso coragem, meu filho! Coragem! Um jovem tenente cossaco não era mais valente que nós! Invadimos todos os terrenos da teoria, sem medo, chorando, com o rosto brilhando de alegria! Fomos mais longe que qualquer tropa! O mundo ainda vai levar um século para compreender como nós fomos longe! Schklóvsky! Tiniânov! Óssip! Eikhenbaum! Roman! Bakhtin!

De pé, Propp gritava gesticulando como se quisesse chamar de volta do reino dos mortos os seus companheiros de juventude e de aventura.

Como se fosse um deles, o garçom veio depressa trazendo um copo fundo, cheio de mais bebida, e me derramou um olhar daqueles que dizem, ou você acalma esse velhinho, ou a gente joga ele no fosso dos jacarés.

— Por favor, puxei Propp pelo braço, e ele caiu sentado olhando para o copo cheio, kha, trumph, plunft, zaúm, fazendo tanto sentido quanto uma sílaba isolada.

Levou a mão ao copo, que eu afastei:

— Não foi pra isso que viemos aqui, professor, eu falei, e fiquei pensando que naquele bar tinha dois homens com cinquenta anos de diferença, segurando dentro, com toda a força, a agonia sem comparação de quem se sente trocado por um outro. Sei lá de que jeito era a dor dele, mas a minha dor a reconhecia, os seres gasosos dos pantanais de Canopus têm todos o *mesmo cheiro*.

Segurei a mão de Propp, e continuei segurando, apertando e afrouxando como se eu estivesse querendo bombar vida forte, vinho de vinte anos, luz de estrelas supernovas, para dentro daquela alma, buceta estuprada, que sangrava como uma moringa que caiu no chão.

E o que eu sentia não é o que se sente diante do pai, campeão do rei, será que eu posso com ele?, pau nosso que estás nos céus. Era mais o que se sente diante de avô, alguma coisa além do pai, alguma coisa que fosse alguma coisa que fosse algo assim como algo mais que um pai, o pai além do pai, uma obra de arte feita com a matéria-prima de que um dia um pai foi feito, avô é assim mesmo, bem mais complicado que pai, o pai do outro lado do vidro da vida.

Propp não estava nada bem. Mas falava como se fosse a última coisa que fazia.

— A vida é subliterata, meu filho. Vai pelos esquemas das histórias de deslumbramento, que você vai mais longe.

Não largava da mão de Propp, e com sua mão na minha era como se estivesse segurando a mão de Norma, tinham mãos tão parecidas, e de repente larguei a mão dele como se tivesse tocado num sapo.

Minha profissão não permitia que eu bebesse muito. Afinal, para distinguir entre uma constelação e outra é preciso uma mente clínica e lúcida. Eu bebia muito raramente, dois conhaques como aquele eram o bastante para provocar o estouro da boiada de todos os meus mil demônios. Principalmente um, que, bem, tem uma coisa sobre a qual, *nem com dois mil conhaques*.

— Não foi pra isso... Não foi pra isso... Não foi pra isso... ouvi uma voz ecoar, bater nas paredes e voltar pra cima de mim, chuá!, uma onda das grandes que batesse nas pedras.

Diante de mim, Propp, uma figura lamentável. E eu sentia uma grande ternura diante da grandeza de sua miséria e do seu abandono. Aquele velho pedaço de desgraça era o que dava sentido à história toda.

Mas estava na hora de fechar. E eu tinha que levar tudo aquilo que se chamava Propp até um lugar onde pudesse dormir seu porre em paz.

— Está na hora, professor, eu falei, ele levantou, devagar mas com segurança, os olhos vendo só o que seus olhos viam, e fomos.

No carro, ninguém disse nada. Dirigi até o consultório, que ficava mais perto do que sua casa. Também, pra que é que ele iria pra casa? Não tinha mais ninguém lá.

Lá ficou no sofá do consultório, onde caiu dormindo, assim que o larguei. Antes de sair, dei uma última olhada. Ele se encolhia de frio. Procurei um cobertor, e joguei por cima daquele velho encolhido como um caracol, uma criança com as fraldas molhadas no meio da noite. Passei a mão pelo branco dos seus raros cabelos, e disse:

— Adeus, meu velho. Foi uma aventura e tanto.

29

Era a hora de simular a manhã, e as gravações de passarinhos gorjeavam sabiás, rouxinóis, toutinegras, cacatuas, araras, aves de todos os 125 continentes de Achernar.

A luz que simulava um sol estava num ano inspirado, e o dia era como um império que devia durar mil anos. Os seres gasosos dos pantanais de Canopus suspenderam a respiração, e começou a contagem regressiva. Vai, Halley, vai fazer o que tem que ser feito.

Lochs, mex, onkh, jak, rek, trunf, lept, três, dois, ALELUIA!

Lá se vai ele, o cometa, os espaços te sejam propícios! As ondas magnéticas dos oceanos de poeira cósmica se abram diante de você como os pentelhos de uma buceta diante de um pau! Que você passe incólume entre as tempestades de meteoritos! Teus sensores e radares não sejam danificados pelas interferências warhoos! Vinda, vida e vitória a ti, cometa, vai e justifica a existência de toda a matéria! Nem que seja por um instante, mesmo que seja já!

30

Minha Nossa Senhora dos Corredores, fazei com que a segunda porta à esquerda esteja aberta e esses cães não me atinjam!, ordenei, me atirando pra dentro do quarto, onde a cadeira vazia olhava, pela janela, para o pátio iluminado. A chave estava para o lado de dentro, e girei, uma, duas, três, quatro, cinco, vinte, trinta, trinta e uma vezes, como quem gira o segredo de um cofre. Virei, e, ofegante, colei as costas na porta, sentindo na espinha a madeira do outro lado ser arranhada pelas unhas dos mastins, baskervilles e dobermanns, que queriam o meu sangue e minha alma. Então, olhei para a cadeira diante da janela. A janela ainda continuava aberta. Mas a cadeira não estava mais vazia. Ela virou para mim, com um rifle no colo e um sorrisinho nos lábios, quando eu disse:

— Você? Claro, tinha que ser você. Era você o tempo todo.

— Você não está entendendo, você nunca entendeu nada. Claro que era eu, o tempo todo. Mas não era *em você* que eu atirei três vezes.

— Uma das balas quase arrancou minha orelha. Se não era em mim, então, em quem?

— Warhoo, você vai ver agora os poderes dos seres gasosos dos pantanais de Canopus.

Norminha levantou, encostou o rifle na parede e avançou até a porta, onde os cães se atiravam de unhas e dentes. Traçou um círculo no tapete, jogou gasolina e atirou um fósforo, o fogo deu uma volta, e logo o quarto parecia um fornalha. Tentei apagar enquanto gritava, menina biruta, você vai matar todo mundo.

Em segundos, não havia mais nada que eu pudesse fazer, a não ser cair fora dali, e o mais rápido possível. Do segundo andar até o chão era uma queda e tanto. Só que a essas alturas eu já era um mestre na arte de saltar de precipício, cair de pé e sair correndo como um alucinado desses lugares perigosos que o acaso coloca em nosso caminho.

31

Quando acordei, meu primeiro pensamento foi para o velho Propp, que eu tinha deixado dormindo no sofá do consultório, a noite anterior.

Telefonei direto, 223-7866, uma, duas, três, trinta e uma vezes, e nada.

Levantei preocupado, me vesti e fui até lá. Cheguei, empurrei a porta e lá estava ele, sentado na mesa, com a cabeça desabada dentro de uma mancha vermelha, um sangue enorme que escorria da mesa e continuava no chão. Na mão de Propp, uma pistola lúguer, dessas de oficial nazista da Segunda Guerra, apontava para um buraco na têmpora direita. Na parede estavam grudados pedaços de massa cinzenta, que pareciam pedaços de borracha escorregando e deixando riscos vermelhos, como se toda a parede chorasse.

Gelado, dei um passo até o fato consumado, fiquei ali, perplexo, e então vi o bilhete, e o bilhete dizia tudo, e eu amassei, fiz um bolo e engoli. Foi então que eu peguei a lúguer, limpei as impressões digitais de Propp, apertei a arma na mão até ter certeza que ela ia ter *minhas impressões*. Só então peguei o telefone, e telefonei polícia, alô, polícia?, acabo de matar alguém, em quanto tempo vocês podem estar aqui?, quinze minutos?, ótimo, eu espero, o endereço?, claro, o endereço. Nenhum advogado vai me convencer da minha inocência. Eu *quero* ser condenado.

Eu não quero a vida eterna, professor. EU QUERO O INFERNO.

Curitiba, XXXIII Olimpíadas

EM TORNO DE UM ROMANCE ENJEITADO*

Boris Schnaiderman

---

* Publicado originalmente na *Revista USP*, set./out./nov., 1989, pp. 107-12.

Parece incrível, essa morte! Paulo Leminski era a própria exuberância, o transbordamento, o impulso vital, o sem-medida, o incontido, a antirrepressão.

Agora, vêm os balanços nos jornais, com os indefectíveis "no entanto", "por outro lado", "pensando bem". Ainda no dia de sua morte, um "correspondente especial" em Curitiba não achou nada melhor a dizer do que afirmar que o *Catatau*[1] era uma cópia do *Ulysses* de Joyce.

Num ponto, porém, detratores e amigos parecem estar de acordo: haveria nesse conjunto uma descaída, uma fraqueza indubitável — o romance *Agora é que são elas*.[2] É uma opinião que se consagrou, há um consenso quase absoluto. Logo que o livro saiu, a crítica lhe caiu em cima, implacável e categórica. Seria um livro fracassado, resultado de um equívoco, algo de que o autor devia se envergonhar no futuro.

Os amigos se conformaram, quase todos, com este veredicto. "Não consegui passar da metade", confessou-me

---

[1] Paulo Leminski. *Catatau*. Curitiba: Edição do autor, 1975. Uma segunda edição saiu há pouco pela Sulina, Porto Alegre.

[2] Paulo Leminski. *Agora é que são elas*. São Paulo: Brasiliense, 1984.

um deles. E o próprio Paulo se convenceu, aparentemente, da desimportância de seu filhote. *Catatau* é que seria o seu romance importante, este outro era algo bem secundário. Numa entrevista com Denise Guimarães, publicada pouco antes de sua morte, ele disse: "*Agora é que são elas* é uma brincadeira com a mentira de escrever um romance redondo hoje. Essa visão redonda do século XX acabou. O romance não é um ícone do século XX. Os grandes romancistas do século XX nasceram no século XIX. Kafka, Thomas Mann, Joyce, fizeram a cabeça um pouco antes da Primeira Guerra Mundial. Seu universo era do século XIX. Escritores com a cabeça feita no século XX não são capazes de escrever um romance. São produtores de mensagens do século XX. O romance não é mais possível. *Agora é que são elas* é um romance sobre a minha impossibilidade de escrever um romance".[3]

Pode parecer uma *boutade*, um gosto pelos paradoxos brilhantes, mas não é. A entrevista confirma algo que ele repetia desde muito tempo. Essa morte do romance, tão cantada a partir da década de 1920 pelo menos, era uma atitude que vinha dos fins do século anterior e se encontra em alguns dos grandes autores da época, desde Tolstói e Valéry até José Martí e Euclides da Cunha, mas ela parece não se sustentar diante de uma série de escritores, como Guimarães Rosa, Lezama Lima, William Faulkner, Italo Calvino. Seriam todos eles continuadores do século XIX na ficção? Não me parece. Acho muito mais acertada a visão de Bakhtin, que encara o romance como um gênero dinâmico, um gênero maleável e proteico, que reaparece sempre em formas novas.

[3] *Nicolau*, Curitiba, ano III, n. 19.

Na base disso e de uma releitura do romance de Leminski, tenho que contrariar a opinião consagrada da crítica, os desafetos e amigos do poeta e a própria opinião deste, reafirmada pouco antes de morrer, pois, na medida em que posso tratar desse tema, considero *Agora é que são elas* uma das obras de ficção brasileira mais interessantes dos últimos anos.

Para começar, qual dos detratores desse romance seria capaz de escrever um trecho de prosa tão ágil, numa linguagem tão realizada como a da sequência que vou transcrever?

> Com aquela cara de homem fingindo estar interessado no papo de uma mulher apenas porque está com vontade de comê-la, com aquela cara de mulher costurando e bordando pensamentos apenas porque está a fim de ser comida por ele, cheguei, caprichei, relaxei, lembrei tudo o que tinha aprendido em Kant e Hegel, repassei toda a teoria dos quanta, a morfologia dos contos de magia de Propp, o voo do 14-bis, cheguei e não perdoei:
> — Tem fogo? (p. 16)

O narrador de Leminski é um tipo malandro, malicioso, desbocado, capaz de grandes arroubos, articulando e desarticulando o nosso português do Brasil com uma leveza incomparável, passando facilmente da descrição de objetos concretos a uma prosa abstrata, musical, desnorteante.

Seu português não vem somente dos livros, mas da rua, dos bares, dos conjuntos musicais jovens, dos auditórios de televisão etc. Não adianta lamentarmos: ah, no meu tempo se lia mais, ah, a língua anda empobrecida, ah, como tudo era mais bonito!... Leminski mistura a nossa linguagem livresca a todo um caldo de cultura atual e nos dá uma leveza, uma flexibilidade, que dificilmente existiam. Se *Catatau* continha uma ideia ficcional realmente extraordinária, com aquela vinda do próprio Descartes ao Brasil e o seu desmilinguir-se em meio ao luxuriante barroquismo da terra, se o livro todo continha um tratamento poético e joyciano da linguagem, neste *Agora é que são elas* a própria "impureza" como gênero dá à obra uma expressão variada e rica, saltitante, uma riqueza que exige releituras para a sua completa fruição.

Basta que nos fixemos um pouco nos elementos principais do romance, para nos convencermos disso, e por mais estranho que pareça, acho que isto não foi feito até hoje.

Lembro-me da impressão que o livro me deixou na primeira leitura, mas eu estava muito absorvido em problemas pessoais sérios, para vir a público e tratar dele. E nem cheguei a comunicar a minha opinião ao próprio Leminski. É com atraso, pois, que faço isto, como pequena homenagem ao amigo morto. Meu enfoque estará prejudicado por estas circunstâncias? Não creio, pois, neste caso, estou contradizendo a opinião do próprio Leminski. Toda a ação, se é que podemos chamar assim a sucessão dos acontecimentos no livro, gira em torno de uma festa e do que nela acontece, mas tudo isto com frequência "desacontece", é posto em dúvida, quase todas as ações contêm em si a sua anulação. Veja-se um exemplo:

> O velho criado pôs a cabeça na fresta da porta entreaberta.
> — Está perdido, cavalheiro?
> — Não lembra de mim? Acabo de sair daqui.
> — Perdão, senhor?

> — Eu acabo de sair da festa. Mas voltei.
> — Que festa?
> — A festa que estava havendo aí quando eu sai.
> — Mas, senhor, a festa vai ser *amanhã à noite*. (p. 32)

Que festa seria aquela? O próprio narrador fica em dúvida, nas passagens em que a festa existe, como esta a seguir:

> Casamento não era. Faltava no ar aquele clima venéreo, venusiano, dos casamentos, onde todo mundo ficava olhando para os noivos [...]. (p. 28)

Segue-se uma sucessão de pormenores escabrosos e opulentos (ah, quantos mais em nossa literatura souberam utilizar com tanta graça o palavrão?), até se falar do "nervosismo do noivo", às voltas com

> [...] aquela pergunta clássica: por que é que esse bando de chatos não dá o fora logo pra eu poder comer esta mulher em paz? Não, não havia esse clima. Olhei para o alto, e girei o olhar. Não havia cupidos voando em volta da mesa.
> Busquei outros sinais, sinais de qualquer um desses acontecimentos que vão da vida até a morte, batizados, bar mitzvah, noivados, bodas de prata, colação de grau, exéquias, velórios, guardamentos.
> Nenhum sinal. Perguntei ao vestido das mulheres, a seus penteados renascentistas, e nada. (p. 28-9)

Pois bem, a "ação" se desenrola nessa festa que existe e não existe, mas há *flashbacks* da vida das "personagens", e paralelamente à "intriga principal, ocorre uma guerra interplanetária. Sempre que esta aparece, a linguagem se torna mais alucinada, com introdução vigorosa de palavras inventadas. Tudo isto ligado com os trabalhos do narrador, que, não tendo conseguido passar no vestibular de medicina, escolhera, em segunda opção, a Astronomia. (Quem não se lembra, diante disso, da terrível caricatura do sistema da liberdade de escolha, que há em nossos exames vestibulares, onde um indivíduo quer estudar literatura brasileira e acaba indo parar no curso de sânscrito, língua de cuja existência ele nem desconfiava, mas que é ensinada num curso com maior possibilidade de vagas?)

Aqui está uma fala da namorada do narrador, que o censura, diante do céu estrelado, por sua ignorância na matéria que estava estudando:

> — Betelgeuse, que vergonha! Você podia estar mais brilhante hoje. Mas como é que você poderia com todos aqueles proctores enfristulando você? Tenho andado tão triste desde que os churros mertriaram toda a tua tenoctília [...] (p. 76)

Outra fala da personagem, sobre a guerra interplanetária:

> Cheguei sem fôlego. Ela me olhou com desprezo:
> — Os warhoos tomaram o poder em Achernar, e você não fez nada?
> E me atacando começou a chutar minhas canelas, que não são de ferro, como todo mundo pode imaginar.
> — Pare com isso, eu falei. Os warhoos caíram na nossa armadilha.
> Ela parou. Afastou-se. E olhou para mim.
> — A atmosfera de Achernar é fatal para os warhoos. Eles só têm dois mil anos-luz de vida, eu gritei.
> — Mas os strelitz vão miricondar todos os prosonômios de Khandar!
> Quanto mais ela gritava, jurcs, yaraconds, nelmeiam, osks, mais longe ia ficando, até que eu a via como quem vê alguém, um ponto muito lá longe no começo de um infinito corredor, alguém aí? (pp. 84-5)

Assim, além de um jogo de esconde-esconde com o leitor, em torno de uma realidade que se anula, o romance nos introduz numa ficção científica mais puxada a Alfred Bester que a Ray Bradbury, mas também com evidentes repercussões das maluqueiras de Spielberg.

Ora, qual pode ser o tempo numa realidade que se anula? Por isto mesmo, torna-se muito difícil indicar um esquema temporal para a "ação". Na leitura ora se avança para um futuro, ora se recua, ou o deslocamento parece circular, mas é sobretudo indefinido como no trecho seguinte:

> Nem precisa dizer que levantei da cama, vestido como estava, e tateei em volta. Enfiei a mão no bolso à procura de fósforos. Andei até a parede, bati, e comecei a apalpar, procurando a luz, vivendo naquela voz, como se vive dentro de uma vida, por quanto tempo não consigo determinar nem com precisão aproximada: no escuro e no silêncio, tempo é uma coisa muito relativa.
> Quando consegui sair do quarto, desci uma escada e desaguei no grande salão, o salão da festa passada, *a que não houve*, o salão da festa que vai haver, e que, provavelmente, quem sabe.
> A voz enchia o ambiente como um dia. (p. 39)

O narrador-personagem se defronta basicamente com dois outros. Na festa que acontece e desacontece, ele encontra Norma. Esta pode ser personagem independente, ou é a filha de seu analista, ou ainda, a própria norma. Ela é introduzida, também, de modo bem desnorteante:

> Entrei no salão principal, um fósforo aceso no interior da luz absoluta, adeus, matéria! A luz que sopra em cada partícula um vento em cada molécula que um vento sopra em cada instante em cada momento transformando tudo em luz, um halo só, a luz suprema de uma festa, qualquer festa, bem-vindo, brilho, os sentidos que vão morrer te saúdam!

> A última coisa que vi, claro que foi, quem mais? Falava numa roda de amigas, aquele ligeiro tédio de quem diz, não, querida, isso é impossível, a marquesa saiu às cinco horas.
> E lá vou eu, atraído pela lei da gravidade, até o óbvio, a matéria, a verdade, quem sabe? Ela, irresistível como uma página de papel em branco. Quem sabe a sabedoria, quem sabe, alguma outra coisa.
> Norma!, chegou alguém gritando como se.
> [...]
> Então, eu soube. Ela se chamava Norma.
> De normas, vocês sabem, o inferno está cheio."(p. 19)

Mas esta Norma, que é assassinada na sexta-feira de cada mês, para renascer em seguida, e cuja integridade, como personagem, é complicada ainda mais pelo aparecimento de uma outra Norma, menininha endiabrada e esperta, é filha de Propp, este ao mesmo tempo psicanalista e autor de um sistema de análise do conto maravilhoso. Em muitos momentos, ocorre, em sua figura, a "condensação" (para usarmos um termo freudiano) de Sigmund Freud e Vladímir Propp. Veja-se com que propriedade se misturam, no texto, os elementos de um e de outro campo:

> — Cuidado, filho, Propp me alertou. Você está saindo da parte preparatória. Já está além da função gama-1, a proibição. Já passou pela transgressão da proibição, a função delta-3. Agora está ingressando na zona A, a Região do Dano. De agora em diante, todo cuidado é pouco. Mas pode confiar que vamos fazer tudo que estiver a nosso alcance para que ultrapasse essa área com um mínimo de escoriações. (pp. 125-6)

A todo momento, aparece um jogo com as "funções" de Propp. Eis, por exemplo, como surge, de raspão, um nome designando uma quase-personagem:

> Nenhuma vaga para ela na lista dos personagens de Propp, chance alguma.
> No máximo, quem sabe coadjuvante na função ômicron-7. Só que essa função, além de não constar na lista, não era a que Mai queria preencher na minha vida.
> Norma, não havia jeito de eu conseguir que ela notasse a presença de Mai. E como? Na minha vida, Mai era algo assim como uma mancha de água mineral num lençol branco. (p. 121)

É realmente impagável a passagem das páginas 165 e 166, em que Propp quer convencer o narrador de que ele não era necessário (para o esquema proppiano, que acaba confundido com a existência como tal) e por fim exila-o para o capítulo seguinte. Esta brincadeira metalinguística, que tem seus precedentes em literatura e que foi explorada tão bem por Oswald de Andrade em *Serafim Ponte Grande*, encontra neste livro uma aplicação exemplar, como elemento construtivo, indispensável para o clima indefinido e mutável aí criado.

A *Morfologia do conto maravilhoso* é tratada como obra de ficção e, ao mesmo tempo, em meio à gozação desenfreada, ela aparece como algo sério e fundamental:

> O fato é que descobriu que todas as histórias, no fundo, constituem "Uma só história". E aplicou-se a descobrir a cadeia de constantes, a lei lógica e matemática que rege a geração dos enredos, o vertiginoso movimento das constelações que constituem *uma intriga*. (p. 36)

Há qualquer coisa de patético, nesse afã de Propp de reduzir todas as histórias a funções designadas por uma letra grega e um número, 31 ao todo, e esta insistência no 31 acaba parecendo algo cabalístico.

Aos poucos, esta figura de lógico rigoroso vai se humanizando, e este processo de humanização tem seu clímax perto do final, na cena em que o velho professor embriagado recorda "os porres que a gente tomava no Círculo de Moscou e depois no de Praga". Estudo e especulação ousada unem-se, aí, num torvelinho de bebida e mulheres, num verdadeiro clima de apoteose aos tempos heroicos de 1920 e 1930.

O extremamente cômico e o patético acompanham o leitor até a última página, onde nos defrontamos com um absurdo mais absurdo que o "ato gratuito" de Gide: Propp suicida-se e o narrador aperta na mão a pistola que deu o tiro, até passar-lhe suas impressões digitais, e telefona para a polícia.

As inversões de perspectiva, neste romance, atingem o máximo, como a daquela cena (p. 27) em que o narrador se vê de fora, parecendo um observador estranho.

O triunfal e o irônico unem-se poderosamente, a exemplo daquele trecho da página 202, em que aparece o cacófato: "Nem que seja por um instante, mesmo que seja já". O contexto faz com que ele não nos pareça deslocado, ao contrário daqueles versos de Casimiro de Abreu: "Se eu tenho de morrer na flor dos anos, / Meu Deus! não seja já".[4] Será uma citação? É possível, a exemplo de outras dezenas de citações mais ou menos disfarçadas que aparecem no texto.

Os achados de linguagem e de observação fina sucedem-se em borbotão, é impossível transcrevê-los todos. Mesmo assim, não consigo furtar-me ao prazer de enfileirar mais alguns:

[4] Casimiro de Abreu. "Canção do exílio", in *Poesias Completas*, 3. ed. São Paulo: Saraiva, 1961.

De repente, ficou tudo pálido como se tivesse medo. De repente, tudo ficou corado, como se tivesse vergonha. O ar ficou corado. E tudo empalideceu, como, como é que foi mesmo que eu não dei pela ausência de Norma, aquela coisa gostosa entre as mulheres, sorvete reinando sobre meu reino de prazer com um morango por coroa? (p. 23)

Mas foi triste que varei a sala, me debatendo entre as ondas de com licença e desculpe, perdão e tenha a bondade, até a mesa de ponche. (p. 25)

[...] aquele estado meio neutro, meio mecânico, que os carros exigem dos seus motoristas. (p. 29)

[...] A chuva voltou a cair imediatamente, como se quisesse levar aquela casa a nocaute no segundo round, meu coração batia, punch, jab, cross, direto. (p. 32)

Propp insistiu. Eu perseverei. Ele reiterou. Eu recalcitrei. Ele fez questão, eu também, e, no calor da luta, comecei a sentir vertigens, calafrios, enjoos, câimbras e ânsias de vômito. (pp. 50-1)

Norma estava morta. Ainda bem que morrer nesta vida não é tudo. Pela janela assistimos aos preparativos para o funeral. Ela estava morta. Meu olhar a tinha matado. Os criados se aproximam. Cobrem o corpo nu com um manto, enrolam-na e levam embora o que restou. Ainda não é tudo. Os vivos precisam celebrar a morte, o gelado não estar mais, o porquê, o outro lado do lado de cá. (pp. 96-7)

Ainda sobre Norma:

[...] Ela até que era lógica. Só que a lógica dela *não fazia sentido*. (p. 104)

[...] Se quiserem chamar de amor essa falta de sono, sigam em frente e dobrem a esquina. O consultório fica na rua 3 de Outubro, 894. (p. 104)

> Ninguém jamais desceu uma escada como Norma. Em sua descida, cada degrau era um triunfo, cada passo um orgasmo, cada momento um recorde. E assim descemos. (p. 112)

> Na sala, leques voaram como pavões por entre um mar de murmúrios. Deve ter se gastado em meio minuto todo o estoque de Ós que daria para abastecer uma língua indo-europeia por um ano. (p. 112)

Não adianta! Assim, acabaria transcrevendo o livro todo. Em sua aparência de brincadeira inconsequente, em sua leveza de toque, na realidade ele aborda alguns dos temas essenciais de nosso tempo.

Depois da prosa-poesia altamente elaborada de *Catatau*, Leminski absolutizou a sua experiência e a vertente da arte da palavra que ela representava. Daí as suas afirmações sobre a morte do conto e do romance. Mas, ao mesmo tempo, esse tradutor de Beckett e dos modernos ficcionistas norte-americanos, percebia no mundo uma nova narratividade, ligada aos novos meios de expressão. Em vez de se deixar sufocar por eles, a palavra encontra caminhos para se afirmar.

E é nesta perspectiva que leio *Agora é que são elas*, este objeto fascinante e perturbador e que adquire nova dimensão quando penso no amigo morto e na sua trajetória.

SOBRE O AUTOR

PAULO LEMINSKI, nasceu em Curitiba, Paraná, em 24 de agosto de 1944 (Virgo). Mestiço de polaco com negro, sempre viveu no Paraná (infância no interior de Santa Catarina).

Publicou: Catatau *(prosa experimental), em 1975, Curitiba, edição do autor.* Não Fosse Isso e Era Menos / Não Fosse Tanto e Era Quase *e* Polonaise *(poemas, 1980, Curitiba, edição do autor). Publicou poemas, com fotos de Jaque Pires, no álbum* Quarenta Cliques. *Curitiba, 1979, Curitiba, ed. Etcetera.*

Foi professor de História e Redação em cursos pré-vestibulares, diretor de criação e redator de publicidade. Colaborou para o Folhetim da Folha de S. Paulo e resenhava livros de poesia para a Veja.

Poemas e textos publicados em inúmeros órgãos (Corpo Estranho, Muda, Código, Raposa etc.) de Curitiba, São Paulo, Rio e Bahia.

Teve seus primeiros poemas publicados na revista Invenção, em 1964, então, porta-voz da poesia concreta paulista.

Faixa-preta e professor de judô, viveu em Curitiba com a poeta Alice Ruiz, com a qual teve duas filhas.

Foram publicados pela Brasiliense Cruz e Souza *(Encanto Radical), 1983,* Caprichos e Relaxos *(Cantadas Literárias), 1983,* Matsuó Bashô *(Encanto Radical), 1983, e* Jesus a.C. *(Encanto Radical), 1984.*

Faleceu em 1989.

DO MESMO AUTOR
NESTA EDITORA

CATATAU

EX-ESTRANHO

METAFORMOSE

WINTERVERNO

com João Suplicy

OUTROS LIVROS
DESTA EDITORA

ESTAÇÃO DOS BICHOS
Alice Ruiz S, Camila Jabur e ilustrações de Fê

JUNCO
Nuno Ramos

N.D.A
Arnaldo Antunes

POESIA É NÃO
Estrela Ruiz Leminski

**CADASTRO
ILUMI/URAS**

Para receber informações
sobre nossos lançamentos e
promoções envie e-mail para:

cadastro@iluminuras.com.br

A *Iluminuras* dedica suas publicações à memória de sua sócia Beatriz Costa [1957-2020] e a de seu pai Alcides Jorge Costa [1925-2016].